HISTOIRE D'OMAYA

Ce livre a pour point de départ un événement réel, et pourtant j'ai choisi d'en faire un roman. L'entreprise comportait des risques. Dans la "vraie vie", en dehors des livres, cet événement a été traité comme un fait imaginaire ; le faire entrer dans une fiction, c'était risquer d'entériner à tout jamais ce statut fictif. Mais il existe une vérité autre, plus vraie que celle des journaux, plus permanente que le vacarme des faits ; et pour approcher cette vérité-là, la littérature est le seul chemin que je connaisse.
(Extrait du prière d'insérer écrit par l'auteur lors de la parution, en 1985 au Seuil, de son deuxième roman aujourd'hui réédité.)

Nancy Huston, dans un texte fragmentaire et kaléidoscopique, tente de dire l'indicible : l'humiliation, la douleur d'une femme bafouée, l'entourage qui se dérobe, la plainte qui n'est pas entendue… Elle parvient, en séquences brèves et violentes comme des éclats de verre, à rendre justice, à dessiner les contours de la douleur, et à brosser le portrait magnifique d'une femme étrange qui n'est pas sans rappeler la Saffie de *L'Empreinte de l'ange*, son dernier roman paru chez Actes Sud en juin 1998.

NANCY HUSTON

Dans la collection Babel figurent déjà le premier roman de Nancy Huston, *Les Variations Goldberg* (Seuil, 1981), ainsi que ses romans publiés chez Actes Sud, *Cantique des plaines* (1993), *La Virevolte* (1994) et *Instruments des ténèbres* (1996), prix Goncourt des lycéens et prix du Livre Inter.

D1215905

DU MÊME AUTEUR

Romans
Les Variations Goldberg, romance, Seuil, 1981 ; Babel n° 101.
Histoire d'Omaya, Seuil, 1985.
Trois fois septembre, Seuil, 1989.
Cantique des plaines, Actes Sud / Leméac, 1993 ; Babel n° 142.
La Virevolte, Actes Sud / Leméac, 1994 ; Babel n° 212.
Instruments des ténèbres, Actes Sud, 1996 ; Babel n° 304.
L'Empreinte de l'ange, Actes Sud, 1998.

Livres pour enfants
Véra veut la vérité, Ecole des Loisirs, 1992 (avec Léa).
Dora demande des détails, Ecole des Loisirs, 1993 (avec Léa).

Essais
Jouer au papa et à l'amant : de l'amour des petites filles, Ramsay, 1979.
Dire et interdire : éléments de jurologie, Payot, 1980.
Mosaïque de la pornographie : Marie-Thérèse et les autres, Denoël, 1982.
A l'amour comme à la guerre, correspondance, Seuil, 1984 (en collaboration avec Samuel Kinser).
Lettres parisiennes : autopsie de l'exil, Bernard Barrault, 1986 (en collaboration avec Leïla Sebbar).
Journal de la création, Seuil, 1990.
Tombeau de Romain Gary, Actes Sud / Leméac, 1995.
Désirs et réalités, Leméac / Actes Sud, 1996.

HISTOIRE D'OMAYA

Collection dirigée par Sabine Wespieser et Hubert Nyssen

NANCY HUSTON

HISTOIRE D'OMAYA

roman

BABEL

DÉDICACE

Quoi ajouter ?

Que pour écrire ce livre je n'ai pu faire autrement que d'osciller entre deux choix : me projeter follement en toi par le je et me distancier follement de toi par le elle. Mais je n'ai jamais oublié que tu existes. Réellement. En dehors du livre. Ni que ton histoire a réellement eu lieu. J'espère qu'en fabriquant ce personnage dont l'histoire ressemble en partie à la tienne et en partie à la mienne, mais qui n'est du coup ni toi ni moi, je ne nous ai pas trahies.

La vérité que j'ai cherché à dire est celle de ton visage, un jour d'hiver, devant un tribunal. Ce visage a un nom, ce jour a une date, ce tribunal a un lieu. Mais la vérité dépassait de si loin tous ces faits que je n'ai pu la dire qu'en les taisant. Ainsi ce livre t'est dédié, à toi, mais aussi à toutes celles qui, assourdies par le vacarme des faits, ont vécu cette même vérité dans le silence.

Elle est coincée. Encore une fois elle s'est coincée et Omaya se débat avec. J'ai passé ma vie à me débattre avec des fermetures Eclair, il me semble que je n'ai jamais fait que ça, essayer d'enfoncer le petit bout métallique dans le trou, ça entre mais ensuite ça se coince, je n'arrive pas à tirer la languette, mes doigts sont gigantesques et gourds, Omaya voit chaque ride autour de chaque phalange, profonds sillons dans la chair sèche, peaux rongées autour des ongles, taches blanches dessous, les doigts d'Omaya tentent de faire glisser la fermeture Eclair mais elle est cassée, j'en suis sûre, elle ne marchera plus jamais et j'ai si froid, les doigts s'irritent, agitent la languette, tirent violemment dessus, ça se coince, et là, sous l'épaisse frange forestière, mes pores commencent à exsuder un liquide visqueux, les autres ne peuvent pas le voir mais ils me trouvent risible, voilà dix minutes que je m'acharne sur cette languette et je n'en suis toujours pas venue à bout... Les autres s'habillent sans y penser, les mains effectuant des gestes prestes sans que le cerveau ait à s'en mêler, les autres se vêtent et se dévêtent en arabesques, il n'y a qu'à Omaya que les objets résistent, il faut que ça finisse par se fermer, je ne vais pas m'avouer vaincue, ils espèrent tous que je m'effondrerai comme la dernière fois, mais aujourd'hui je ne leur ferai pas ce plaisir, je ne lèverai même pas les yeux, je répondrai aux questions sur un ton neutre, objectif, et ils ne m'auront pas. Les mêmes questions, les mêmes réponses. C'est comme un rôle. Je n'ai qu'à le jouer en professionnelle, Anastasia m'a juré que cette fois-ci ça marcherait, pour ainsi dire juré, que si je me comportais de façon sympathique, si je faisais un effort, si je m'appliquais à donner une impression favorable aux spectateurs, à leur faire voir mon vrai sourire au lieu de mon rictus…

Quand Mamie faisait un effort, par exemple pour ouvrir un pot de confitures, sa grimace ressemblait à s'y méprendre à un sourire. Souvent, après lui avoir souri en retour, j'ai été déconcertée de voir sa bouche se détendre brusquement et ses lèvres devenir flasques : le couvercle avait fini par céder. Maintenant – de mère en fille, de fil en aiguille – c'est Cybèle qui grimace ainsi. Quand elle est penchée sur ses calculs, la tête soutenue par la main gauche, les cheveux tombant sur le poignet, sur le bras et sur l'épaule, elle a le visage distendu par ce faux sourire. Après la mort de Cybèle, ce sera à moi. Ou peut-être que déjà, là, avec cette fermeture Eclair… Est-ce qu'elle sourit, Omaya, en ce moment ? Sourire vrai ou sourire faux ? Les spectateurs se disent-ils qu'elle s'amuse ? Arrête, ils ne la regardent même pas, ils dorment, ils lisent, ils parlent entre eux – ils parlent de moi – mais non, ils ne parlent pas d'Omaya, il ne faut pas recommencer, ce n'est pas le moment, arrête ! Omaya doit se concentrer, bien regarder ce qu'elle est en train de faire. Mais les doigts ! les doigts sont secs et gercés par le froid, jaunis par le tabac… Omaya ne doit pas s'occuper de ses doigts, seulement de la fermeture Eclair. C'est un sourire, ça aussi, sourire sardonique, deux rangées de dents métalliques qui me narguent, deux lèvres longues et noires écartées dans un rire, dans un ricanement…

— Garde la bouche ouverte, je te préviens… Si tu nous mords, ça va mal se terminer.

Il faut que ça se ferme, oh mon Dieu oh mon Dieu je veux le *fermer*. Je sais pourtant comment elles marchent, les fermetures Eclair, d'abord on enfonce le petit bout de métal dans le trou, à fond, à fond, comme ça, ensuite on tient le bas de la fermeture entre le pouce et l'index, ne bouge pas, ensuite on tire avec l'autre main sur la languette… Voilà, ça vient, enfin ça vient, oh mon Dieu, j'ai réussi, la bouche est enfin close, la bouche a englouti Omaya. Omaya est bien au chaud, elle va se calmer, elle pose ses mains sur les genoux, elle ne regarde ni ses mains ni la fermeture Eclair, elle ferme les yeux, elle peut dormir, elle n'a pas besoin de faire attention aux stations puisqu'elle ira jusqu'à la dernière, quelqu'un la réveillera, tout le monde descend, elle sera arrivée et tout se passera très bien…

Mais Omaya ne peut plus dormir. Il faut être sur ses gardes. Vigilante. On ne sait jamais. Ça peut arriver n'importe où, n'importe quand. Il faut faire attention… *Alerte ! Alarme ! Achtung !*

— Excusez-moi, mademoiselle.

Il m'a touché le pied, il m'a heurtée… Alerte ! Non… Il a touché le pied d'Omaya, c'est vrai, mais il ne l'a pas fait exprès, il a dit excusez-moi, ils ont dit qu'ils regrettaient ce qui s'était passé, laissez tomber votre plainte, je vous en conjure, vous n'arriverez à rien, vous ne ferez que vous rendre encore plus malheureuse, encore plus malade si vous persistez. Et de toute façon, êtes-vous bien certaine de l'identité ? S'agit-il bien de cet homme-là ? Mais non, vous voyez bien, ce ne peut être lui. Lui ne prend jamais le métro, il ne se déplace qu'en automobile. Ce n'est pas lui, en définitive. Et votre identité à vous, en êtes-vous bien certaine ? Etes-vous bien la même que celle dont vous avez décrit les expériences du mois de décembre ? Nous sommes bien au mois de décembre, mais s'agit-il du *même* mois de décembre ? Toujours les mêmes mots…

A winter's day, in a deep and dark December
I am alo-o-o-one
Hiding in my room, safe within my womb
I touch no one and no one touches me

Je ne touche personne et personne ne me touche. A l'abri dans ma matrice. Cachée dans ma chambre. Je suis seule. Dans un décembre profond et ténébreux. Un jour d'hiver.

Chaque fois que j'entendais cette chanson, on était au mois de décembre. On est toujours au mois de décembre. J'ai passé ma vie à écouter cette chanson en me disant : Tiens ! on est au mois de décembre. Elle a froid, Omaya. La bouche s'est refermée, elle est tapie à l'intérieur, elle ne veut plus que la bouche s'ouvre, il fait trop froid, comment vais-je faire pour leur parler ? Répondre encore une fois aux mêmes questions. Revivre encore une fois ce mois de décembre. Quand elle joue un rôle, Omaya sait entrer dans la peau du personnage pour le faire vivre. Quand elle parle en son propre nom, ça ne marche pas. Elle prononce ses répliques du bout des lèvres, les mots coagulent sur la langue – comment voulez-vous qu'on la croie ? Jurez-vous de dire toute la vérité et rien que la vérité ? Levez la main droite, dites : Je le jure. Baissez la main. Et vos sourires, est-ce qu'ils sont vrais ou faux ? Et vos larmes, ne seraient-elles pas des larmes de comédienne ? Et votre témoignage, comment savoir ? Tâchez de vous maîtriser, mademoiselle. L'interrogatoire ne peut pas se poursuivre dans ces conditions.

— A quelle heure avez-vous quitté le Château ?
— ... Je m'excuse, pouvez-vous répéter la question ?
— A quelle heure es-tu rentrée hier soir ?
— Rentrée ?
— Oui, rentrée. Tu n'étais pas dans ton lit à une heure du matin, j'ai regardé.
— ...
— Tu es sortie par la fenêtre ?
— ... Oui.
— Dans ta chemise de nuit ?
— Oui.
— Et ensuite ?
— Je suis allée chez Alix.
— Tu avais rendez-vous avec elle ?
— Oui.
— Alors ? Qu'est-ce que vous avez fait ? Ne me fais pas jouer aux devinettes, je vais perdre patience. Qu'est-ce que vous avez fait ?
— Rien, on a parlé, c'est tout.
— Où est-ce que vous avez parlé ?
— Assises sur le bord du trottoir, devant sa maison. On a regardé les étoiles.
— Tu mens. J'ai téléphoné chez Alix, sa mère vous a cherchées partout, vous étiez en vadrouille, dis-le !

— Oui, c'est vrai.

— Dans vos chemises de nuit, c'est bien ça ?

— Oui.

— Vous marchiez dans la rue au milieu de la nuit à moitié nues, tu oses me dire que c'est ce que vous avez fait ?

— Il faisait tellement doux, on voulait juste faire quelques pas.

— Où est-ce que vous êtes allées ?

— On a fait les cent pas devant la maison, c'est tout.

— Ne me dis pas c'est tout, je sais que quand tu dis c'est tout, tu es en train de me mentir. J'ai horreur qu'on me mente, est-ce que tu m'entends ?

— Oui.

— On est allées…

— Arrête de chercher. Dis-moi la vérité. Regarde-moi dans les yeux. Dis-moi la vérité.

— On est allées…

— Ne te mets pas à pleurnicher, ça ne servira à rien. Alors ?

— … au café du coin.

— Au café du coin ! dans vos chemises de nuit ?

— … Oui.

— Mais vous êtes malades !

— Elle est complètement malade ! C'est pas du tout comme ça que ça s'est passé !

Omaya n'est pas malade, elle n'a rien à craindre, elle doit simplement rester tranquille et tout se passera très bien, Cybèle viendra. Elle m'aime. Elle me l'a toujours dit : Ce n'est pas toi que je déteste, ce sont tes mensonges, est-ce que tu comprends ? Toi, je t'aime, mais j'ai horreur que tu me mentes. Dors maintenant, ma petite fille. Cybèle est là. Cybèle n'est pas là. Elle n'est jamais là. Mais elle viendra. Toujours au futur. Elle m'aimera. Pourvu que je dise la vérité. La vérité, cela existe, Omaya, quoi que tu en penses. Clarté est synonyme de beauté. Pourquoi veux-tu à tout prix que les choses soient obscures ?

C'est toi qui t'es caché les yeux, Cybèle. Au sujet du Hibou. C'est toi qui as tenu absolument à rester dans le noir. Le soleil de la vérité, à ce moment-là, tu l'as laissé briller pour moi seule. Embrasement. Incandescence. Maintenant, bien sûr, tout ça n'a plus la moindre importance. Le Hibou ne viendra pas, il est hors d'état de nuire. De lui j'ai hérité les yeux éteints, et de toi le faux sourire.

La lame de rasoir se met à taillader : d'abord les doigts d'Omaya, ensuite les poignets, la gorge, les lèvres, les yeux. Elle s'enfonce avec des coups rapides et nets, elle creuse une vallée dans la chair, la vallée se remplit d'une eau rouge foncé mais elle ne déborde pas. Tout se passe en un éclair, dans le silence. Les yeux surtout. Trancher les globes, encore et encore. Ce sont deux raisins si mûrs que la peau s'est éclatée, une fente profonde les traverse d'un bout à l'autre. Tenez, voici deux nouveaux yeux, des yeux de verre, des billes. Ça vous aidera à y voir clair. Mettez-les… Mais non, pas dans la bouche ! Omaya mâche et le verre est pulvérisé sous les dents. Elle avale et les éclats de verre lui déchirent la gorge en descendant. Il y a du sang par rigoles mais il n'y a aucune douleur.

Le hibou avait des yeux de verre, des billes jaunes avec des cercles noirs au centre, je ne les ai jamais regardés de près mais je sais qu'ils étaient ainsi, même maintenant je peux les voir, ils sont plus réels que les yeux de l'homme qui m'a heurtée à l'instant et qui me scrute en ce moment. C'était dans la maison de Mamie, le hibou était perché sur la cheminée de la bibliothèque, juste à côté de ma chambre, et si la porte était ouverte je ne pouvais pas passer devant pour descendre au rez-de-chaussée, j'aurais réveillé le hibou qui dormait les yeux ouverts, j'aurais entendu un bruissement de plumes, la tête se serait tournée vers moi et les yeux jaunes m'auraient fixée, billes dorées féroces sous deux sourcils hérissés de plumes, les ailes se seraient mises à battre, le bec crochu à cliqueter, le hibou aurait volé à travers la pièce pour fondre sur moi et je serais morte. Pourtant c'est le hibou qui est mort, Omaya le sait très bien, même à l'époque elle le savait, il est mort mais seulement à condition que la porte de la bibliothèque reste fermée. Si on la laisse ouverte, le pire peut arriver.

— Cybèle ! Viens !

— Qu'est-ce qu'il y a ?

— Viens fermer la porte de la bibliothèque !

— Mais ma bêta, tu ne vas pas recommencer tous les ans le même cirque ? Descends prendre le petit déjeuner.

— Je ne peux pas !

— Alors reste au lit, bonne journée !

— Maman, S'IL TE PLAÎT !

Silence. Omaya retourne au lit. Elle pleure jusqu'à ce que ses paupières enflent suffisamment pour recouvrir le globe oculaire. Et puis, aveugle, elle court le long du couloir et se jette dans la cage d'escalier...

Il me dévisage, l'homme qui s'est assis en face de moi. L'homme dont je ne vois que les pieds, il voit tout d'Omaya. Il la détaille, ses yeux sillonnent son corps de haut en bas, de bas en haut. Entre ses bottes : un long mégot aplati, poussiéreux. Déchiffrer à l'envers le nom de la marque. Il veut me forcer à lever les yeux, il veut me pénétrer de son regard, il veut percer mes yeux sans défense et entrer dans le cerveau, de là descendre à travers le corps, faisant battre le cœur, se dresser les bouts de seins, trembler les mains. Il veut me faire fondre sous l'éclair de son regard, la foudre qui me transformerait en gélatine, masse molle et tremblotante. Omaya n'a pas peur. Omaya peut affronter ce regard et le lui renvoyer. Les yeux d'Omaya ne sont pas une vitre mais une glace. De la glace. Aucune lumière ne peut y pénétrer, elle s'y réfléchit. Omaya lève les yeux, relève le défi. L'homme dort, la tête inclinée, la bouche entrouverte, la lippe pendante. Il a des poils à l'intérieur des trous du nez, des poils noirs et drus sur le menton et les joues, des touffes de poils dans le creux du cou, entre le sternum et la pomme d'Adam, des poils sur les doigts, sur le dos des mains croisées, sur les poignets. Les poils poussent autour d'une alliance à la main gauche et autour d'un bracelet-montre à la main droite, ils sont coincés dans les articulations du bracelet-montre. Je vais être malade.

Omaya se lève, elle a besoin d'air, tout l'air du wagon est strié de longs poils noirs, ils balaient l'espace comme des lianes, s'entrecroisant dans un rets de plus en plus serré, suffocant… Ahanements… Il ne faut pas paniquer… *Alerte !* Mais non, c'est sa propre frange, c'est la frange d'Omaya elle-même, qu'elle porte si longue, toujours trop longue, et qui tombe en rideau sur les yeux. Ecarter les pans du rideau pour voir si la salle s'est remplie. Les spectateurs seront-ils nombreux ce soir ? Plisser les paupières pour deviner, de l'autre côté de la rampe, les corps des juges assis dans le noir.

— Tu ne veux pas faire une raie et t'attacher les cheveux avec des barrettes ? Ou les porter derrière les oreilles ?

— Non. Je préfère porter une frange.

— Alors il faut que je te la coupe. Elle est vraiment trop longue. Tu vas t'abîmer la vue, tu ne vois rien.

— Mais si, je vois parfaitement bien, je vois ce que j'ai envie de voir.

— Tu ne vois rien, tu es toujours en train de plisser les paupières, si ça continue tu vas avoir des rides avant même d'être pubère. Viens ici.

— Je ne veux pas.

— Viens là, ma bêta. Voilà pourquoi tu es devenue si maladroite depuis quelque temps. Tu te cognes sans arrêt aux meubles, tu renverses ton verre à chaque repas, c'est à cause de ta frange. Tu as un si joli visage, pourquoi ne pas le montrer aux autres ? Viens.

Les ciseaux scintillent sous l'ampoule de la cuisine. Lames géantes, éblouissantes.

— Ferme les yeux.

Omaya garde les yeux ouverts. Le rideau se lève.

— Maintenant, va te regarder dans la glace.

Visage blême et enfantin, un morceau de front dénudé, plus blanc que le reste.

— Ce n'est pas droit, j'ai mal coupé, le côté gauche est plus court que le côté droit. Reviens.

Les lames devant les yeux ouverts.

— Maintenant regarde.

Face lunaire, imbécile.

— Ah ! là là. Maintenant c'est le côté droit qui est plus court que le côté gauche. Encore un coup et je m'arrête.

— Je ne veux pas.

— Mais ma bêta, tu ne peux pas rester comme ça. De quoi as-tu l'air ? On dirait un petit clown. Viens t'asseoir, je te promets que c'est la dernière fois.

Les lames cisaillent les yeux, les réduisent en bouillie. Les ciseaux se métamorphosent en double hache. Cybèle tient la hache tout à côté de mon front, elle donne deux ou trois petites tapes préliminaires, comme lorsqu'on entame une nouvelle bûche à l'écorce dure, puis elle enlève d'un seul coup net le haut du crâne. Elle descend ensuite par rondelles successives ; la tête entière n'est tranchée qu'au bout du quatrième coup. Il n'y a aucune douleur. Cybèle contemple avec satisfaction son travail. Son expression ressemble à celle du chirurgien après la réussite d'une opération délicate.

— Tu devrais avoir honte de faire tant d'histoires pour une simple coupe de cheveux. Les cheveux, ça ne fait pas partie de toi, ce sont des cellules mortes. Les ongles aussi. Ça ne fait pas mal du tout de les couper. Tu ne sais pas ce que c'est que d'avoir vraiment mal. Je peux te dire que quand je t'ai mise au monde…

— Oui, je sais. On t'a ouvert le ventre. On t'a coupée.

— Ce qui s'appelle couper. Des chairs vives.

— Et… tu as vu ? de tes yeux vu ?

— Bien sûr que non. J'étais sous anesthésie.

— Et le Hibou, il a vu, lui ? Il était là ?

— Non, ma bêta, il y a des choses que même les hiboux ne peuvent voir. Il n'y avait que des médecins et des infirmières – du moins je crois, je ne sais pas, je n'étais plus consciente.

— Si tu n'étais pas consciente, tu n'as pas senti quand on t'a coupée ?

— Non. Douleur avant, douleur après. Et au milieu : Omaya.

Omaya au milieu de la plaie. Elle a froid. La vallée se remplit d'eau rouge foncé mais elle ne déborde pas. Il n'y a aucune douleur. Le Hibou, celui qui voit tout, ne voit rien. Exclu de la scène rouge.

— Et après ?

— Je te l'ai déjà raconté. Tu étais si chétive qu'on a dû te mettre dans une boîte de verre. Tu vivais dans une grande salle avec les autres bébés en boîte. Au mur vitré était tendu un rideau de velours. Quand on venait te voir, ton père et moi, on ne savait jamais si le rideau serait ouvert ou fermé…

Ecarter les pans du rideau, plisser les paupières : qui est là ? Qui a le droit de regarder Omaya ?

Le rideau se lève. Tout est déterminé à l'avance – musique, costume, fards, accoutrements, paroles mille fois répétées, chorégraphie inamovible, gestes perfectionnés devant la glace – voilà le

cadre de ma liberté. Tout est factice – les senti-
ments, les mots et les mobiles – voilà le cadre de
ma vérité. Omaya emprunte la voix d'une autre et
c'est ce qui lui permet d'exister. Elle emprunte le
corps d'une autre, les souvenirs d'une autre, les
goûts et les dégoûts d'une autre, et c'est ce qui la
rend réelle. Elle dit des mots d'amour à des hommes qu'elle n'aime pas, elle rit à des répliques qui
ne sont pas drôles, elle s'indigne sur commande et
sent monter en elle la vraie colère, celle qui est
interdite et indicible hors la scène. Elle crie, implore,
s'arrache les cheveux, et personne ne lui en tient
rigueur. Au contraire, on l'applaudit. Omaya se
roule par terre, on l'applaudit. Omaya scande des
vers scabreux, on l'applaudit. Omaya est heureuse.

Jamais elle n'a oublié une réplique, pour ainsi
dire jamais : sur scène les mots coulent de source.
Elle prend son texte, s'en va dans la forêt, et marche sur les sentiers tout en lisant à voix haute, les
rythmes du texte répondent aux rythmes de son
corps, jambes cœur poumons s'imbriquent aux
mots avec une évidence divine : ce sont forcément
ces mots-là et pas d'autres, Omaya lit à voix haute
et les arbres l'encouragent, les bronches retiennent
leur souffle : Continue ! Omaya reprend depuis le
début, cette fois elle serre le texte contre sa poitrine
et marche plus vite et parle plus vite, le texte est
déjà imprimé dans sa mémoire, ses syllabes déjà
mariées à ses organes. Une fois le spectacle terminé, ces mots se volatiliseront. Table rase. Page
blanche. Plus de trace. On démonte le décor, on

range les costumes, on efface les souvenirs du personnage, on recommence. Toujours à partir de zéro.

Tant qu'Omaya est l'autre elle sait ce qu'elle a à dire ; c'est dans la vraie vie que ses répliques lui font défaut. Elle est devant ses juges, seulement ils ne sont plus assis dans le noir, ils sont sur la scène et ils lui demandent des comptes.

— Pourquoi êtes-vous sortie du Château ?

— Je m'excuse… Pouvez-vous répéter la question ?

— Pourquoi avez-vous quitté l'université ?

Omaya doit passer un examen, elle est en retard, elle sort de la maison en courant et s'engouffre dans les tripes de la terre, le métro vient, elle monte mais s'aperçoit à la station suivante qu'il va dans le mauvais sens, elle redescend le cœur battant, se lance dans un escalier mécanique… En haut, des couloirs s'ouvrent devant elle à perte de vue, leurs murs éclaboussés de femmes nues, elle les emprunte les uns après les autres, traînant derrière elle un sac très lourd, rempli de livres dont elle a besoin pour l'examen… Eperdue, elle parvient enfin aux bâtiments de l'université, elle suit les flèches rouges sur les colonnes de béton, Salle des examens, Salle des examens, l'heure est passée depuis longtemps, la laissera-t-on seulement entrer ?… Arrivée dans l'amphithéâtre, elle découvre des milliers d'étudiants penchés tous au même angle, le nez effleurant leur copie, elle descend une allée étroite entre deux rangées de pupitres, sur l'estrade un surveillant l'accueille de mauvaise grâce, lui passe les pages blanches qu'elle doit noircir, le sujet à traiter y est imprimé en lettres majuscules qui lui sautent au visage : LE DÉFI DE L'ÉDUCATION. Oh ! non, je me suis trompée de salle, je ne peux pas écrire là-dessus, je m'excuse, ce n'est pas à cet examen-là que j'ai été convoquée mais à un autre, je n'ai rien à dire à ce sujet, laissez-moi partir, je vous en supplie, laissez-moi partir !

Omaya escalade les six marches du perron de l'école en tenant la main de Cybèle. C'est un samedi après-midi. Cybèle lâche la main d'Omaya pour serrer celle d'un homme moustachu. Puis elle est dans la voiture, sa main m'envoie un baiser – c'est pourtant elle qui avait pris ce rendez-vous – et elle s'en va.

L'homme moustachu emmène la petite fille dans son bureau, la fait asseoir dans un fauteuil. Il s'installe en face d'elle, derrière une vaste table recouverte de papiers et de livres. Nous passons tout l'après-midi à jouer à des jeux : Omaya manipule des cubes, cylindres et pyramides de couleur et de dimension différentes, elle plie des feuilles de papier, elle répond aux questions que l'homme lui pose d'une voix chaude et douce. En même temps, elle se méfie : elle sait qu'il ne s'agit pas de jouer mais de prouver quelque chose, elle n'arrive pas à deviner l'enjeu de cette rencontre, à mesure que passent les heures elle devient de plus en plus nerveuse, elle trouve le moustachu gentil et elle a peur de le décevoir… Vers la fin de l'après-midi, tout en lui tendant un verre de jus d'orange, l'homme demande à Omaya de prononcer des mots. Tous les mots qui lui passeront par la tête, n'importe lesquels.

Omaya sent son esprit lentement se vider, comme si avec le jus d'orange elle était en train d'avaler tout le langage qu'elle avait jamais appris, d'avaler sa langue. De justesse elle parvient à sauver quelques vocables : table – chaise – mur – papier – livre – bureau – école – ville – campagne – arbre – forêt – route – voiture… Elle hésite, elle ne sait plus, c'est le trou noir. Si elle regarde autour d'elle, l'homme s'apercevra qu'elle est déjà à court d'idées et qu'elle s'inspire d'objets réels qui se trouvent devant ses yeux… S'efforçant de regarder vers le sol tout en enregistrant le contenu de la pièce, elle poursuit péniblement : bureau – papier – non, j'ai déjà dit papier, il ne faut pas qu'il y ait des mots répétés – homme – femme – garçon – fille – bébé – photo – carte postale – lettre – stylo – table – chaise – mais c'est épouvantable, il va me trouver ridicule, j'ai déjà dit table et chaise – euh, musique – tableau… euh… table… Sa voix s'arrête. Silence. C'est tout ? dit l'homme. Elle hoche la tête, anéantie.

Quand elle se réveille, l'homme est au-dessus d'elle, derrière son fauteuil, penché… C'est tout. Ça s'arrête là.

— Ça s'arrête là ?
— C'est encore insuffisant ?
— Ça s'arrête là, ou bien vous avez un trou ?

Cybèle, elle, n'est jamais à court d'idées. Elle passe son temps assise devant l'ordinateur qui occupe un pan entier de son bureau. Elle ne sait pas qu'elle est belle, les cheveux empilés sur la tête, les cuisses légèrement écartées sur le tabouret. Je la regarde et elle regarde l'écran sur lequel sautillent des chiffres et des lettres, sujets soumis de ses doigts longs et effilés qui appuient sur les touches à la vitesse de l'éclair. Autour de l'écran clignotent des lumières rouges et vertes et bleues, si je regarde à travers les cils ça ressemble à un arbre de Noël mais Cybèle a toujours méprisé ces fadaises-là, elle est en train de mesurer l'intelligence. C'est un travail délicat et difficile, ça l'occupe depuis des mois et des années, elle voyage de pays en pays, elle assiste à des colloques, elle fait des conférences, elle se tient au courant des nouvelles percées technologiques, elle est à la pointe de la recherche, la pointe, les percées, les ciseaux qui scintillent sous l'ampoule, elle est brillante et percutante, elle invente de nouveaux programmes, de nouveaux questionnaires, de nouveaux tests d'intelligence, toujours plus aigus, avec la hache elle fend la tête du Hibou et il en sort une petite fille, avec sa hache elle fend des têtes pour voir ce qu'il y a dedans, intelligences artificielles, cerveaux électroniques, différenciation des fonctions cérébrales, circuits réussis, circuits ratés, courts-circuits. Cybèle sourit à l'écran de l'ordinateur – mais c'est un sourire faux, la grimace de l'effort – et l'ordinateur lui répond par des clignotements complices de ses yeux sans nombre.

— Ton père était autrefois un homme très intelligent, tu sais.

— C'est pour ça que tu l'as épousé ?

— Oh… sait-on jamais pourquoi on épouse quelqu'un ? Ce que je sais, c'est que j'étais curieuse de voir ce que serait un enfant de lui et de moi. Ce que donnerait le croisement de ce patrimoine et de ce matrimoine génétiques.

— Et… tu es contente du résultat ?

— Quelle question ! Tu sais bien que je t'adore. Même si je pense parfois que tu es en train de gaspiller ce précieux héritage en faisant du théâtre. Mais c'est ton choix, n'est-ce pas ?

— Oui, c'est mon choix.

L'homme aux poils noirs a disparu. Derrière Omaya, au-dessus d'elle, un autre. Un homme debout. Je ne le vois pas mais je le sens très fort. Il se tient là sans bouger, il sait que je m'aperçois de sa présence, que je fais seulement semblant de l'ignorer, son regard se glisse dans la bouche entrouverte de mon blouson. Deviner ce qu'il y a en dessous. Et en dessous de l'en dessous. Ainsi de suite : effeuiller le blouson, le chandail, le chemisier, les sous-vêtements, la peau. Peler les pans de peau. Les vierges écorchées. On faisait des incisions peu profondes et on pelait la femme comme une orange, de la tête jusqu'aux pieds. Ensuite un prêtre revêtait la peau de la vierge pour accaparer sa fécondité et sa force. Il traversait le village ainsi vêtu, y apportant la prospérité pour l'année à venir. La vierge gisait au bord d'une route. La poussière collait aux chairs vives. Les chiens jaunes la grignotaient, de sa graisse ils s'engraissaient.

Omaya tire sur la fermeture Eclair de son blouson. La bouche se referme autour du cou. Elle se retourne, il n'y a personne.

— Pourquoi vous retournez-vous sans arrêt ?
— …
— Craignez-vous qu'il n'y ait dans ce cabinet une porte secrète par laquelle je puisse me dérober ?
— Les Châtelains détiennent les clefs de tous les cabinets secrets.

— Pourquoi les Châtelains ?

— …

— Je vous assure qu'il n'y a qu'une seule porte à ce cabinet.

Il est au-dessus de moi, derrière moi, les mots d'Omaya coagulent sur ses lèvres, l'air ne passe plus, il ne faut pas que je sois couchée sur le dos, je n'arrive pas à respirer, je dois rester assise dans un fauteuil…

Par exemple : Omaya est assise dans les cabinets Dames, au sous-sol d'un restaurant. Et puis soudain, au-dessus d'elle, un homme qui la fixe. Elle n'arrive pas à lever les yeux, ni à se lever, elle est clouée. Epinglée. L'homme ne dit rien, ne fait rien, il la regarde tranquillement d'en haut, sa présence remplit les narines et la gorge d'Omaya, elle l'asphyxie. Halètements. Nuit après nuit, elle se débat pour respirer.

Cybèle et le Hibou m'avaient emmenée manger au restaurant, c'était pour fêter la soutenance de thèse de Cybèle, on riait beaucoup. Toute petite fière d'être grande, je me fraie un chemin à travers les pieds des personnes et des chaises, jusqu'au fond, tout au fond d'un couloir sombre à côté de la cuisine bruyante, à côté des portes battantes de la cuisine, jusqu'aux toilettes et je me hisse sur la pointe des pieds pour tourner le loquet. Déculottée je monte sur le siège, reculottée je tire la chasse, l'eau se met à tournoyer et à monter toujours plus haut, elle ne redescendra pas, elle va déborder et inonder les cabinets hermétiquement clos, monter encore en tourbillonnant autour de mes chevilles, ma taille, ma tête, personne n'entendra crier une petite fille au milieu des bruits de casseroles, les ordres hurlés des cuisiniers, mes parents se trouvent à l'autre bout du restaurant, si loin, si loin, je ne les reverrai plus. Tambouriner sur la porte. M'arracher la peau des doigts en travaillant le loquet. Supporter, ensuite, les sourires condescendants des grands réellement grands.

L'eau tourne, tourne, tourne, c'est un maelström. Si on remue la cuiller dans une tasse de café ou dans un bol de soupe, ça produit des spirales. Si on tient la cuiller à la verticale et qu'on la lâche, elle traversera la surface du liquide et plongera jusqu'au fond. Si on tient la cuiller à l'horizontale et qu'on la pose doucement, elle restera là, vide petit miracle : la surface du liquide la soutiendra. Il y a une tension des molécules, elles adhèrent très fortement les unes aux autres, elles coagulent. Si on verse du liquide goutte par goutte dans un verre déjà rempli, il pourra monter au-dessus du bord. La surface de l'eau sera légèrement rebondie et tendue comme un ventre. Encore une goutte, encore une goutte, le verre est plus que plein mais il ne déborde pas. Si on jette un caillou dans le lac, on verra apparaître à la surface de l'eau des cercles concentriques. Si on brise la glace à la surface du

lac, on verra apparaître des bulles : d'abord ellip-
tiques, allongées, irrégulières comme des amibes,
et puis, au bout d'un court instant, circulaires. Tout
tend vers le cercle, vers la perfection du rond. Si
Omaya s'allonge sur l'eau et se détend, la surface
la soutiendra. Elle pourra s'abandonner dans les
bras infinis du lac.

Toutes ces choses, c'est le Hibou qui les lui a
apprises. Elle en a oublié les explications : poids,
masse, gravité, force centrifuge ou centripète. Elle
ne se souvient que des étonnements : la cuiller flotte !
Omaya flotte ! les bulles sont rondes ! la terre et le
soleil aussi !

L'eau du lac est immobile. En ce mois de décembre elle est gelée, elle ne bouge pas, et c'est le Hibou
qui fait des ronds. Il tourne autour du lac, les
mains jointes derrière le dos, le menton sur la poitrine, les épaules ployées. C'est un bossu. Comme
la terre tourne autour du soleil, le Hibou tourne
autour du lac. Pourquoi, papa ? Il ne m'expliquera
plus rien. Si je m'approche de lui, il lèvera vers
moi ses yeux éteints. Il ne me reconnaîtra pas. Il
marmonnera quelques vieilles phrases disloquées,
il laissera échapper une exclamation indignée ou
bien un rire perçant, et puis il reprendra sa marche
circulaire.

Il ne viendra pas.

— Il ne faut pas déranger ton père.

— Il est malade ?

— Non, il travaille, il a besoin de calme pour réfléchir.

— Il ne dînera pas avec nous ce soir ?

— Non, il m'a dit qu'il voulait travailler toute la soirée. Il ne sortira qu'au milieu de la nuit. Comme un hibou.

— Je ne peux pas aller lui dire bonsoir tout à l'heure, avant de me coucher ?

— Il vaut mieux pas… Tu verras, il va nous revenir bientôt. Mais pendant quelque temps il faudra le ménager. Ne pas faire de bruit en passant devant sa porte.

— Marcher sur la pointe des pieds ?

— Voilà. Nous serons comme deux petites souris. Nous avons très, très peur du grand hibou. Il ne faut pas qu'il nous entende.

— Sinon, il va fondre sur nous…

— Et nous manger !… Viens, tu viens manger ?

Omaya n'a pas faim. La terre est ronde comme une orange. Eplucher l'orange, aplatir l'épluchure pour faire une mappemonde. Peler la peau depuis la croupe pour recouvrir le visage. Les chiens grignotent la vierge.

— On va pas te manger ! T'es malade ou quoi ? On veut seulement s'amuser un peu. Qu'est-ce qui te prend ? T'aimes pas les hommes ? T'aimes les femmes ? Arrête de gigoter, tiens-toi tranquille ! Tiens-la, nom d'un chien !

— Tu n'as pas faim ?
— Non.
— Tu ne veux rien manger ?
— Non.
— Même pas une orange ?
— Non, merci.
— Un peu de foie, le cœur qui ne bat plus ?

Omaya rentre chez elle en pressant le pas, elle a des invités ce soir, Alix viendra ainsi que trois ou quatre Amies pour l'aider à commencer sa vie dans l'Appartement. Omaya porte dans ses bras comme un bébé le poulet qu'elle a acheté au marché. Elle a oublié de demander qu'on le vide. Elle l'a emporté comme ça, enveloppé d'un simple papier blanc pour cacher la chair froide et rose, la tête avec les minces fentes d'yeux, les pattes recourbées comme pour s'accrocher à quelque chose qui leur échappe. Dans la cuisine de l'Appartement, sur la table, Omaya étale le papier autour du poulet. Silence. Le poulet ne bouge pas. Couteau. Le poulet, c'est un animal. Le cou, c'est un cou. Les cuisses, ce sont des cuisses. Ecarter les cuisses. Glisser le couteau entre les os et la jointure. Scier. Les ailes, ce sont des ailes. Et à l'intérieur, c'est innommable. Omaya vomit. Les Amies arrivent, elle a encore les mains ensanglantées et l'œil hagard. Impossible de leur offrir quoi que ce soit.

Omaya s'étrangle. Cou de poulet enfoncé dans la gorge. Peau veinulée glissant sur le muscle, d'avant en arrière se fronçant. Un cou à l'intérieur du cou. Elle voudrait vomir mais on la retient. COU OUVERT SERA LOI.

— A quelle heure vous ont-ils relâchée ? Ils disent vous avoir quittée vers onze heures. Et vous, vous prétendez…

— Ma cliente ne prétend rien du tout. Je proteste contre l'emploi de ce mot, madame le président.

— Tu as passé un bon réveillon ? A quelle heure es-tu rentrée ?

— Je rentre quand je veux maintenant, Cybèle.

— Oui, bien sûr… C'est parce que je t'ai appelée hier soir et je suis tombée sur une voix inconnue… On ne sait jamais qui va décrocher le téléphone chez toi. Combien êtes-vous, maintenant, à habiter l'appartement ?

— J'habite avec qui je veux, Cybèle.

— Tu n'as pas besoin d'être si hostile. Quelle voix tu as ! Est-ce que je n'ai plus le droit de m'intéresser à ce que tu fais ?

35

— Tu ne t'y intéresses pas, en effet. Tu veux seulement savoir pour savoir, pour que rien de moi ne t'échappe. Viens boire un verre demain et je te raconterai mon réveillon de vive voix.

— Tu sais bien que je ne peux pas sauter dans un avion en plein milieu du colloque. Même si j'ai très envie de te voir. Ne sois pas sarcastique, Omaya, je t'en prie… Qu'est-ce que tu as ?

— Excuse-moi, mais je communique mal à travers ces gadgets modernes. Je ne suis pas une femme de mon temps. Je préfère encore les êtres humains aux machineries.

— Bon. Ecoute, je sens que tu n'as pas envie de me parler aujourd'hui, alors je ne t'embêterai plus. Tu es en bonne santé, au moins ? Tu manges bien ?

— Je mange, je bois, je fume, je baise, ça va.

Cybèle raccroche. Là-bas, elle doit fondre en larmes un tout petit peu, mais l'émotion est difficile à entretenir quand sa source est séparée de vous par plusieurs océans et plusieurs continents. Elle c'est le jour, moi c'est la nuit.

Je mange, c'est un mensonge. Omaya est toute légère en ce moment. La tête surtout. Si légère qu'elle se met parfois à vibrer doucement, à ronronner comme un moteur. Les pieds et les mains fourmillent. Les nerfs deviennent des fils de fer électrifiés. Omaya n'a plus de chair. Elle est pure intelligence. Artificielle et froide. Elle tremble de froid.

— Mangez quelque chose au moins, mademoiselle. Vous n'avez pas touché à votre plateau.

— Je vous ai dit que je ne pouvais rien avaler. Ce n'était pas la peine de m'apporter un plateau.

— Mais il faut manger ! Vous allez disparaître si vous continuez à jeûner comme ça.

— Laissez-moi tranquille. Combien de fois…

— Ne vous excitez pas !

— Ne vous excitez pas, mademoiselle. Vous n'avez rien à craindre dans l'enceinte de la Justice.

— Ne t'excite pas, on te prévient. Arrête de crier, ou on va te donner des raisons de crier. Arrête, tu entends ? Putain…

Omaya entend les cris des femmes. Elle a si froid, si froid, elle fait un nœud avec les fils électrifiés de son corps sous la couverture, elle entend les femmes hurler des obscénités, injurier leurs parents leurs amants leurs maris leurs enfants et Dieu ; de leur gorge sortent des vomissements de syllabes, elles ont avalé leur langue, elles l'ont ingurgitée et elles recrachent les mots en vrac, des gerbes verbales…

— NE ME TOUCHEZ PAS !
— Ne t'excite pas, on te dit.

J'ai froid, j'aurai toujours froid.

— Montez, vous devez avoir froid.
— Merci beaucoup de vous être arrêté.
— Vous n'avez pas peur de faire de l'auto-stop toute seule ?
— Non, pourquoi aurais-je peur ?
— On entend tellement d'histoires…
— Oui, mais je suis toujours prise par des hommes comme vous qui ont entendu tellement d'histoires, et qui veulent me protéger contre les autres…
— Ah ! c'est bien… Ça va, vous vous réchauffez un peu ?
— Ça va, merci.

Ecarter les cuisses. Glisser le couteau entre les os, à la jointure. Tordre le cou. Trancher la tête, d'un coup net de la double hache. L'amour fou. Je ne veux pas être de la chair. J'ai froid. La chair de poule. Désarticulée. Déchiquetée. Déchue.

— Bonjour !
— Ah ! bonjour. Je ne vous avais pas vue.
— Moi non plus… Ça va ?
— Ça va, oui. Et vous ?

— On fait aller. Il faut bien, n'est-ce pas ?

— Eh ! oui… Il fait froid, hein ?

— Ah ! là là ! Même au bureau, on caille.

— Nous aussi. C'est parce que l'administration ne veut rien débourser pour acheter de nouveaux radiateurs. Ils disent que ça ne vaut pas la peine, puisque de toute façon on déménage…

— Oui, mais quand ? Ça fait des années qu'on parle de déménager, et on est toujours là, dans les mêmes locaux, à cailler. J'ai les mains si froides que je fais des fautes de frappe.

— Il vous en tient rigueur, votre patron ?

— Non, ça lui est égal, du moment que je les corrige. Parfois, il me rend les lettres et je dois les retaper.

— Ah ! oui…

— Comme ça je mets plus de temps pour faire le même travail ; il est souvent six heures passées quand je m'en vais.

— Ah ! oui, effectivement… Ça fait de longues journées.

— Vous allez partir pendant les fêtes ?

— Non. J'ai déjà pris deux fois trois jours en septembre, quand mon fils était malade. Si j'en prends maintenant, il ne me restera plus rien pour l'été.

— Qu'est-ce qu'il avait, votre fils ?

— Des otites. A la crèche, c'est fatal. Les enfants se refilent les maladies en chaîne.

— Ah bon, il est tout petit ?

— Oui, il a vingt-sept mois… Et vous, vous avez des enfants ?

— J'ai une fille mais elle est grande, elle a dix ans.

— Ah ! oui, c'est différent… Ça grandit vite !

— N'est-ce pas ? C'est terrible…

— Mon fils, je lui ai acheté en octobre des bottes pour l'hiver, elles sont déjà trop petites. Et c'est cher, vous savez, les chaussures d'enfant.

— A qui le dites-vous ! C'est scandaleux. La mienne, elle est très sensible à tout ce qui touche au vêtement. Dès qu'une fille dans sa classe porte une chose, elle veut avoir la même. Je lui dis non, ça coûte trop cher et puis elle n'en a pas vraiment besoin.

— Vous avez raison… Et vous, vous allez partir en vacances ?

— On ira faire du ski. Tous les ans on va au même endroit, c'est surtout mon mari qui aime ça, mais la petite elle prend des leçons… et puis ça nous fait un changement d'air.

— Oui, il faut changer d'air de temps en temps, sinon…

— Vous avez vu cette jeune femme, là-bas ?

— La blonde ?

— Oui.

— Elle a l'air… tombée du lit.

— N'est-ce pas ? Elle aurait au moins pu se coiffer avant de sortir.

— On dirait qu'elle a dormi dans ce pantalon.

— Pendant un mois !

— On n'a pas l'idée de se montrer en public dans un état pareil.

— Pourtant elle est trop jeune pour être clocharde.

— Les autres sont obligés de vous regarder, il faut avoir un minimum de respect.

— Du respect pour soi-même, d'abord.

— C'est une honte.

— Je dois vous interrompre. Lors de votre première déposition, vous avez fait état des poils *noirs*, et non pas des poils *blonds*, qui constituaient la soi-disant frange forestière de votre cliente.

— Si j'avais décrit les poils de l'homme en face d'elle comme blonds, personne n'aurait cru qu'Omaya puisse le trouver effrayant.

— Vous êtes priée de vous en tenir strictement aux faits. Ce genre de bricolage est inadmissible. Greffier, vous prendrez note que les cheveux de cette jeune femme sont *blonds*, et mal peignés par-dessus le marché.

Une femme poète en chemise de nuit, les cheveux fous, se jette par la fenêtre de sa chambre. A l'étage au-dessous, la chemise s'accroche au balcon et la femme reste suspendue la tête en bas, les cheveux tendus comme des milliers de doigts désespérés vers le sol qu'elle n'a pu atteindre : suicide raté, ridicule. Une femme douce et doucement rejetée par un prince scande des vers scabreux et rit d'un rire perçant, elle se jette à l'eau dans sa chemise de nuit, les cheveux fous remplis de fleurs, elle descend la rivière tout en chantant

41

'à ce que les fleurs de ses cheveux se con-
fondent avec celles des plantes aquatiques. Et tant
de belles jeunes femmes en chemise de nuit, les
corps arc-boutés devant les appareils photo des
hommes venus les étudier, les yeux révulsés et les
cheveux fous, hurlant des injures et des blasphèmes.
Et puis ces femmes qui vivaient au Château, moins
belles celles-là et moins photogéniques, mais toujours en chemise de nuit et toujours en train de
hurler et de s'arracher les cheveux…

Cybèle, elle, n'a jamais les cheveux fous. Tout
au plus une mèche folle. Elle est dans l'avion en
ce moment, les cheveux empilés sur la tête, elle
est penchée sur ses papiers recouverts de chiffres,
de graphiques, de courbes qui montent et qui descendent, de temps à autre une mèche folle échappe
de son chignon, elle la plaque contre sa joue avec
la main gauche tout en continuant d'écrire avec la
main droite. Elle n'a pas regardé son voisin, elle
ne lui a pas dit bonjour en s'asseyant, elle ne sait
même pas si c'est un homme ou une femme. Elle
n'a pas non plus regardé le coucher du soleil au
moment du décollage, elle n'a pas demandé une
place à côté de la fenêtre, ça lui est indifférent.
Elle n'aime pas voyager dans ce sens, revenir ici
de l'étranger, parce que ça lui fait perdre six heures.
En sens inverse, dit-elle, c'est bien meilleur, la
journée contient trente heures au lieu de dix-huit.
Si seulement toutes les journées pouvaient être

aussi longues ! La vie est trop courte : les années, mois, semaines et jours sont tous trop courts pour faire ce qu'on a à faire. Surtout si l'on enlève les heures consacrées au sommeil, aux repas, aux transports en commun. Elle me reproche de ne pas lire dans le métro.

— Comment peux-tu rester là à ne rien faire ? C'est si pénible. Avec un livre, on est transporté dans un autre monde. On apprend quelque chose tout en allant quelque part.

— Moi aussi, j'apprends des choses dans le métro. Je regarde les gens, je les écoute, ou bien je rêve. Tu sais, Cybèle, la rêverie est elle aussi une forme d'évasion, une manière d'être meilleur tout en restant immobile.

— Oui, mais combien plus limitée !

Cybèle, elle, prétend ne jamais rêver. Ni de jour, ni de nuit. Elle dort du reste le moins possible. Dans l'avion elle aura sommeillé quelques heures, afin de se sentir d'attaque pour cette journée éprouvante. Elle ne verra pas le lever du soleil. Réveillée par le haut-parleur, elle rajustera ses cheveux sans se regarder dans la glace. Quand il lui faudra remonter la tablette au moment de l'atterrissage, elle rangera ses papiers et tirera de son sac un magazine scientifique. L'idée que l'avion puisse s'écraser sur le sol ne lui effleurera même pas l'esprit. Elle trouve mes peurs tellement puériles que je ne lui en parle plus.

— Vous n'avez pas peur de faire de l'auto-stop toute seule comme ça ?

— Non, pourquoi aurais-je peur ?

— On entend des choses épouvantables.

— Oui, mais je suis toujours prise par des hommes comme vous, qui souhaitent m'éviter des choses épouvantables.

— Ah ! Tant mieux… vous avez de la chance, alors.

— Vous êtes entrée toute seule dans ce café, il était environ neuf heures du soir, il faisait nuit depuis trois heures, il pleuvait à verse. C'est bien cela ?

— Oui, Maître.

— Vous ne vous êtes pas méfiée quand vous avez vu qu'il n'y avait que des hommes dans ce café ?

— Si, mais j'avais besoin de me réchauffer, j'avais froid, je ne savais pas où aller.

— Qu'est-ce que vous portiez ?

— Excusez-moi… Vous avez dit… ?

— Comment étiez-vous habillée ?

— Vous étiez en chemise de nuit, Alix et toi ?

— Pardon ?

— Vous êtes donc sortie avec la chemise de nuit qui vous avait été fournie par le Château ?

— Mais non ! Je n'ai rien volé, il n'y a pas eu plainte pour vol, j'avais mis mon propre imperméable, il faisait froid.

— Il fait trop froid. Je ne sais pas si je vais y arriver.
— Faut dire qu'elle est pas très encourageante.

— Est-ce que vous êtes lesbienne ?
— Mais c'est inadmissible, madame le président. Cette question n'a aucun rapport avec les faits à juger.

Alix sera là. Elle viendra avec les Amies. Elles auront loué une camionnette pour la journée. Dix, vingt – non, trente femmes entassées. Soixante jambes et soixante bras enchevêtrés. Les voix fortes, les rires qui fusent pour se donner du courage. Se coupant la parole, discutant, renchérissant, inventant des slogans, tandis qu'au fond de chacune la peur aura brûlé un trou de silence. Les mots multicolores servent à dérober ce trou au regard des autres. On ne voit qu'une camionnette hérissée de femmes, on dirait qu'elles reviennent d'une fête, tant est bruyante leur gaieté. Alix, elle, est au volant. Elle conduit brutalement, faisant geindre chaque vitesse avant de passer la suivante, freinant à la dernière seconde avant de stopper aux feux rouges, prenant les virages à peu près sans ralentir. Les femmes sont ballottées à gauche et à droite, elles tombent de leur siège, elles roulent, elles rient. A la radio passent des petites chansons que toutes connaissent, qu'elles sifflent entre les dents. Les paroles ne passent plus, elles ne savent plus les articuler, ces mots sont gravés dans leur mémoire mais jamais plus ne traverseront leurs lèvres. Alors elles sifflent. Alix siffle aussi, quand elle n'est pas en train de parler aux Amies en tournant la tête pour les regarder par-dessus l'épaule. On lui dit de garder les yeux sur la route, mais pour Alix les voitures se conduisent toutes seules. Les mains d'Alix sur le volant. Des mains brunes, grandes et fortes comme elle.

— Omaya, tu sais que ça va faire vingt ans que nous nous connaissons ? On va fêter ça.

Alix a invité les Amies. Elles sont toutes venues ce soir à l'Appartement, c'est le mois de juin, les fenêtres béent sur la rue, la musique noie le bruit des klaxons et des sirènes. Les Amies dansent, dessinant avec les bras des fleurs, des arbres, des vols d'oiseaux. Elles sont maquillées et habillées avec une extravagance violette et rose : écharpes et paupières pailletées, robes longues fendues sur bas résille, pantalons de cuir, bottes ou sandales, porte-cigarettes, elles sont splendides et négligées, je les regarde danser, je danse moi aussi et je les aime. Alix, elle, fait la cuisine, ses mains sont aussi sûres avec la nourriture qu'au volant de l'auto, elle verse sans mesurer, goûte, ajoute, allume une cigarette et siffle entre ses dents. Elle fait un chili. Puisque c'est elle qui le fait, ce sera délicieux et Omaya pourra en manger, il n'y aura pas dans chaque bouchée l'agonie de l'animal abattu, il n'y aura pas le souvenir du sang versé, des yeux exorbités, du hachoir qui broie la chair, il n'y aura que des choses belles, relents d'un pays chaud où toutes les femmes sont habillées d'orange de rouge de jaune, lourdeur des siestes et frénésie des castagnettes... Tout ira bien, jusqu'au lendemain matin. Ne pas penser maintenant à Omaya en train de laver la casserole, aux doigts d'Omaya grattant la viande durcie cimentée au fer, aux haricots brûlés sous les ongles d'Omaya, j'ai passé ma vie à récurer des casseroles, ça ne partira pas, il faudra rincer avec de l'eau chaude et recommencer... Tant qu'Alix est là, je n'ai pas la hantise de voir la chaudière exploser, c'est seulement quand Omaya se trouve seule, l'odeur du gaz, l'appareil défectueux, les flammes trop fortes... Conflagration ! Chaque fois que la chaudière s'allume en haletant, je suis convaincue que c'est la fin. Une femme poète allume le four, elle est transie de froid, elle allume pour avoir chaud et puis plus chaud encore, dans sa tête il ne fera jamais assez chaud, elle glisse la tête à l'intérieur du four : cerveau rôti, suicide réussi. Une femme écrivain est enfermée dans un Château, elle est malade des nerfs, elle veut faire du ballet mais les Châtelains lui disent qu'il ne faut pas, ça l'excite trop, ça risque de la rendre encore plus malade. Son mari, écrivain célèbre, se sert des lettres qu'elle lui envoie pour étoffer et rendre crédible le personnage du grand roman qu'il est en train d'écrire. C'est une femme qui est malade des nerfs et qu'on a enfermée dans un Château. La femme du roman guérit après avoir détruit complètement son mari. La femme du romancier reste enfermée au Château pendant de longues années, jusqu'au jour où la chaudière explose… Conflagration ! La ballerine est partie en fumée, on l'identifie grâce à un chausson calciné.

Alix que j'aime ne pense jamais au pire. Les objets lui sont parfaitement soumis. Pas une fois je ne l'ai vue se débattre avec une fermeture Eclair. Elle se déshabille comme elle conduit : en arabesques, avec un plaisir évident. Tant qu'elle est là, les objets me sont soumis, à moi aussi. Je suis en état de grâce.

Elle apporte les plats un à un, sur la tête. Elle esquisse un pas de danse, on l'applaudit. Elle me prend dans ses bras et nous dansons ensemble. C'est comme être sur une scène. Alix réussit chaque fois ce miracle, elle transforme l'Appartement en Théâtre. Ce n'est plus un lieu de dangers et de doutes, soudain c'est l'évidence divine : je sais parler et rire. Me mouvoir. M'émouvoir.

— Mais je ne comprends pas de quoi tu as peur, Omaya.

— Ça peut arriver à tout instant… Par exemple, quand je suis descendue tout à l'heure, au début de la fête, pour acheter de la bière, et qu'un homme m'a suivie dans la rue.

— Et alors ?

— Et alors, j'étais habillée comme ça, pour vous, j'étais contente de me sentir belle, et que c'était l'été, qu'il faisait encore jour à dix heures du soir, j'étais toute légère dans ma robe légère… Et puis j'ai entendu, derrière moi : Vous êtes seule ? Et tout a basculé.

— Mais pourquoi ?

— Parce que… ma beauté ne vous était plus destinée à vous, mais à un inconnu. Ma robe avait changé de sens, c'était devenu une provocation. Mon corps avait changé de sens, ce n'était plus le mien à donner mais le sien à prendre. Tu ne comprends pas ?

— Si, un peu. Et c'était un homme comment ?

— Je ne sais pas, je ne l'ai pas regardé.

— Pouvez-vous décrire vos agresseurs ?

— Les décrire ?

— A quoi ressemblaient-ils, physiquement ?

— …

— Ecoutez, mademoiselle, vous affirmez avoir passé plus de quatre heures en leur compagnie, vous avez donc eu largement le temps de les

observer. Comment étaient-ils ? Grands ? Petits ?
Bruns, blonds, roux ? Blancs, noirs, basanés ?
Essayez de vous souvenir.

— ... L'un d'eux était plus petit que les deux
autres.

— Essayez de vous souvenir. Quand vous êtes-
vous aperçue pour la première fois que vous étiez
amoureuse de votre père ?

— Je n'ai pas dit que j'étais amoureuse de mon
père. J'ai dit que j'avais peur de lui.

— La peur est une forme détournée du désir,
vous le savez bien. Une forme plus acceptable
pour la conscience. Cette peur, alors, comme vous
dites, elle a commencé à quel moment ?

— Mais ma bêta, qu'est-ce que ça veut dire ?
Tu as peur de conduire la voiture maintenant ? Tu
ne peux pas venir me chercher à l'aéroport parce
que tu as peur ?

— C'est exactement ce que je viens de dire,
Cybèle.

— Mais enfin, tu connais parfaitement ma voiture, tu l'as conduite des dizaines de fois, qu'est-
ce qui te fait peur comme ça, tout d'un coup ?

— Est-ce que j'ai vraiment besoin de te l'expliquer par téléphone ? Tu ne pourrais pas te contenter
de me croire, pour une fois ?

50

— Bien sûr que je te crois, c'est simplement… Je n'arrive pas à le croire ! Tu as toujours adoré conduire.

— Je viendrai à l'aéroport en bus, si tu as besoin d'aide pour les bagages.

— Oh… je me débrouillerai toute seule, ne te dérange pas.

— Ce n'est pas que ça me dérange. S'il te plaît, ne te fâche pas.

— Je ne me fâche pas, je ne comprends pas, c'est tout. Je t'appellerai dès que j'arriverai à la maison, d'accord ?

— D'accord.

Omaya appuie sur le bouton Sous-sol, les portes de l'ascenseur se ferment devant ses yeux, elles rouvrent sur l'obscurité. Ciment gris, moite, bêtes métalliques assoupies, colonnes de béton, Salle des examens, Salle des examens, Omaya tient les clefs de la voiture dans sa main droite.

N'oubliez pas d'accrocher parmi vos clefs un sifflet. La clef dont vous avez besoin, vous la mettrez tout à côté du sifflet avant de quitter la maison, pour ne pas perdre du temps à la chercher une fois dehors. Tenez toujours votre trousseau dans la main droite, avec les clefs soigneusement disposées entre les doigts, la partie pointue vers l'extérieur. C'est votre coup-de-poing américain, une arme personnalisée toute simple mais très efficace contre les agresseurs éventuels.

Omaya tient la clef de la portière entre l'index et le pouce. Elle l'enfonce dans la serrure. La clef ne tourne pas. Elle est coincée. Je ne sortirai jamais vivante de ce parking. Omaya retire la clef, l'essaie dans l'autre sens, cette fois la portière s'ouvre, je m'assois derrière le volant, je choisis une nouvelle clef et je l'enfonce. Starter, contact, phares et ceinture, la voiture se réchauffe.

Quand vous avez laissé votre voiture garée dans la rue, ou même dans un parking souterrain, vérifiez toujours, *avant* d'ouvrir les portières, qu'il n'y a personne caché à l'arrière.

Omaya fait marche arrière doucement, tout doucement. Les colonnes de béton s'approchent, tentent de la frôler, et s'éloignent. La porte du garage s'ébranle en un bâillement. La voiture monte à la surface, à la lumière du jour. Les phalanges d'Omaya sont blanches, tant est forte la prise des doigts sur le volant. Il me faut aller à Berg, à une vingtaine de kilomètres de la ville, pour une audition. Mon rendez-vous est à deux heures, il est midi et demi, je suis partie trop tôt exprès pour n'avoir pas à me presser. A l'approche de l'autoroute : encombrement. Rien de grave, seulement le moteur tourne trop vite et l'indicateur de température commence à monter vers le rouge… *Achtung !* Mais non, il n'est pas encore entré dans le rouge, pas encore dans le danger. Omaya s'efforce de regarder ailleurs, le moteur grommelle. Autour d'Omaya, les autres voitures sont maintenant immobilisées à perte de vue. Elle est coincée. Impossible de faire demi-tour, de rentrer au parking et de s'endormir pour le reste de la journée. Il faut vivre ceci. Omaya allume la radio. Il n'y a pas de petites chansons pour elle, seulement des voix d'hommes en colère, tantôt avec de la musique et tantôt sans, elle éteint. Derrière elle on a klaxonné, elle sursaute, rattrape ses deux mètres de retard et voit que cette fois-ci l'indicateur est entré dans le rouge. Elle tourne la clef, le moteur s'arrête net et l'indicateur tombe au-dessous de zéro. Dans le blanc. Les mains d'Omaya ne lui appartiennent plus. Elles glissent du volant et tombent sur ses cuisses, deux oisillons chus de leur nid. De partout, les reflets lancinants des pare-brise et des rétroviseurs convergent vers Omaya, lui griffent les yeux. Un sifflement tire son regard vers la gauche : un policier est en train de gesticuler furieusement en ma direction, il m'ordonne de repartir, je n'ai pas le choix, Omaya tourne la clef et l'indicateur saute aussitôt dans le rouge, la voiture va prendre feu, elle va exploser, la portière est fermée à clef et je suis ligotée par ma

ceinture, autour de moi les autres véhicules gro-
gnent et rugissent d'impatience.

Une heure. L'autoroute est désormais en vue,
mais pour l'atteindre il faut passer par le tunnel.
Omaya fouille dans son sac, les doigts comme
autant d'ailes affolées, les yeux sur les feux arrière
de la voiture devant. Elle trouve un paquet de
cigarettes, en extrait une, l'amène à ses lèvres et
fouille encore. Elle cherche un briquet. J'ai passé
ma vie à chercher des briquets. Elle tâtonne sur le
tableau de bord, appuie fort sur l'allume-cigare
– mais non, c'est le starter ! –, il s'enfonce, voilà
pourquoi le moteur tournait si vite, maintenant la
température va baisser et tout va s'arranger, ce
soir je raconterai ça à Alix et nous en rirons toutes
les deux… Non. L'indicateur est toujours dans le
rouge, Omaya est au milieu du tunnel et la voiture
devant elle a freiné une fois de plus, je ne peux
pas avancer, ça va sauter, le corps d'Omaya écla-
boussera les murs, les yeux d'Omaya sont secs et
vitreux mais son front pleure de grosses larmes
qui lui glissent sur les tempes et sur les joues, le
cerveau d'Omaya se met à cogner contre le
crâne… *Alerte ! Alarme ! Achtung !* La sonnerie
déclenchée par le cœur court à travers les veines
d'Omaya, faisant vibrer tous les nerfs vrillés sur
son passage.

Une heure et quart. Le tunnel est fini. Tout d'un
coup, Omaya s'aperçoit d'une forte chaleur sur
ses cuisses. Voilà, le moteur a pris feu, cette fois
c'est vrai ! Mais non, c'est le soleil, tu vois bien,

c'est le soleil… Ce n'est pas ça, il y a mon Dieu de la fumée aussi, la voiture brûle… Conflagration ! Arrête, c'est simplement la cigarette, la fumée d'Omaya elle-même… Omaya gare la voiture au bord de l'autoroute, elle verse de l'eau dans le radiateur. L'eau siffle au contact du métal chauffé à blanc. Les mains d'Omaya continuent de palpiter.

Si vous tombez en panne sur une autoroute, ne descendez surtout pas de la voiture. Si un homme vient vous proposer de l'aide, vérifiez que votre portière est bien fermée à clef et ne lui ouvrez pas. Tout au plus pourriez-vous baisser la vitre de quelques centimètres et lui glisser un mot, lui demandant de téléphoner aux dépanneurs. S'il souhaite vraiment vous venir en aide, c'est ce qu'il fera. Sinon, vous êtes toujours mieux à l'intérieur de votre voiture : restez-y, quitte à y passer la nuit.

En attendant le refroidissement, Omaya s'étend dans l'herbe au bord de la route. La vierge écorchée. La lapine… Non ! C'est le Hibou !… C'est le Hibou qui m'a appris à conduire. Tout paraissait si simple. Je flotte ! Je roule ! D'abord assise entre ses genoux, je tenais le volant. Quand un camion surgissait soudain en face de nous et qu'une collision semblait inévitable, je me couvrais le visage des deux mains et le Hibou me sauvait de la mort. Avec lui, je n'avais peur de rien.

Une heure et demie. Omaya a quitté l'autoroute, elle cherche Berg. Le plan des environs est étalé sur le siège à sa droite, le théâtre y est marqué par un X. Elle lit les panneaux, suit les flèches, parvient au bout de maints virages à Merg. Berg n'est plus indiqué nulle part. Le soleil tape. Omaya s'arrête devant la mairie de Merg et descend de la voiture. Elle court consulter la carte détaillée de la région. Deux hommes l'encadrent, la baratinent, lui donnent des conseils – c'est parce que je suis maquillée pour l'audition, ce n'est pas moi qui les allume c'est la Sorcière, Omaya n'est pas là – et, s'enfuyant la tête bouillonnante, encore plus désorientée qu'avant, elle remonte dans la voiture et choisit une route au hasard. Le plan à côté d'elle est un dessin privé de sens, un gribouillage d'enfant. Cette fois, sur le tableau de bord, c'est l'horloge qui attire ses yeux comme un aimant : deux heures moins quatre. Moins trois. Moins deux. Moins une.

Il est deux heures précises quand Omaya parvient au village suivant, il s'appelle Lerg, le soleil tape, les rues sont désertes et les volets fermés, les flèches annoncent n'importe quoi. Il est aberrant de chercher un théâtre dans ce paysage. Omaya n'a plus le moindre souvenir du texte qu'elle avait préparé, sa pensée est comme rabotée, aplanie, elle n'est plus qu'une vaste carte couverte de noms inouïs, d'itinéraires indéchiffrables. A la sortie de Lerg, Omaya dépasse un homme qui longe la route à grandes enjambées. Elle freine, fait marche arrière et ouvre la portière de droite. L'homme s'installe à côté d'elle. C'est un familier de la région, et ses mots sont un affreux poème :

— Vous voulez aller à Merg ou à Berg ? Ce n'est pas du tout dans la même direction, Berg et Merg. Moi, je viens de Lerg, je vais passer l'après-midi à Schlerg. Mais si vous voulez aller à Merg, il faut faire demi-tour... Ah ! non, c'est à Berg que vous voulez aller, alors c'est bon, vous continuez sur cette route jusqu'à Terg et puis vous prenez à droite – attendez, non, plutôt à gauche – vous n'avez pas peur de prendre des hommes en auto-stop comme ça ?

— Peur ?

— Ce n'est pas très prudent, hein ? Moi, je suis vieux, mais vous ne pouviez pas le savoir. J'aurais pu être n'importe qui, un évadé de prison, un plaisantin... Voilà, je descends là, vous continuez tout droit jusqu'à Terg, hein, vous avez compris ? Ça va ? Ça n'a pas l'air d'aller très fort...

— Vous voyez bien que ma cliente n'est pas en état d'affronter ses agresseurs.

— Vous n'avez rien à craindre dans cette enceinte, mademoiselle.

Plus rien à craindre, nous sommes protégés par les quatre murs. Dans la porte une vitre, afin que l'on puisse voir à chaque instant ce que nous sommes en train de faire. Des fois que nous nous aviserions de nous pendre ou de nous ouvrir les veines. Il n'y a pas de barreaux aux fenêtres : comment mourir en se jetant d'un premier étage ? En dessous : feuilles mortes et buissons gris, pas de béton.

Une femme artiste est amoureuse d'un homme artiste, sculpteur et passionné des anagrammes. Il lui dit :

> ROSE AU CŒUR VIOLET.
> CŒUR VIOLÉ OSA TUER.
> COU OUVERT SERA LOI.

Il lui dit : Le corps est comparable à une phrase qui vous inviterait à la désarticuler.

Dans une lettre d'amour, il la remercie pour : Ta passion de te décomposer scrupuleusement devant moi hier soir.

Il dit que ce soir-ci, il voudrait lui : Relever la peau à partir de la croupe le long du dos jusqu'à voiler ta figure, le sourire excepté.

Le sourire excepté.

Il sculpte et peint et photographie, année après année, des poupées désarticulées : bras, jambes et têtes et sexes et seins amalgamés.

Elle tombe malade, donc on l'enferme dans un Château et elle écrit l'histoire de sa maladie.

Il dit qu'il faudrait pouvoir : Préserver la trace que laisserait un nu projeté par la fenêtre sur le trottoir.

Elle se projette par la fenêtre, à peine ralentie par la vitre dont les éclats l'accompagnent dans sa chute. Suicide réussi. Gisant sur le trottoir, elle parvient enfin à ressembler à une sculpture de l'homme qu'elle aime.

Si l'on se tient sur le toit de la maison et qu'on laisse tomber au même moment exactement une plume et une cuiller, laquelle arrivera la première au sol ? Très bien. Mettons qu'on prenne maintenant une cuiller et un couteau. Alors ? Très bien. Une femme et un éclat de verre ? Très bien.

Mais impossible de nous projeter à l'extérieur de ces chambres, et impossible de nous barricader à l'intérieur. Eux seuls détiennent la clef. C'est la même clef qui ouvre toutes les portes de tous les pavillons. Lorsqu'on circule dans le jardin, on peut distinguer de loin les gens à clef des gens sans clef, à leur démarche. Omaya n'a pas de clef. Tout le monde a le droit de la regarder à travers la vitre. Assise sur son lit, elle se protège derrière un rideau de fumée. Ecarter les pans du rideau... mais les quatre murs sont nus. Dans d'autres chambres, les femmes ont collé au-dessus de leur lit, avec du ruban adhésif, des affiches : visages géants, vedettes du cinéma et de la chanson, plus rarement des croquis ou aquarelles de leur propre cru. Les murs sont encore plus dénudés ainsi. Ames béantes, âmes dépouillées. Le jour où je suis arrivée au Château, un tableau de Lorna était accroché au mur. Lorna va mieux, m'ont expliqué les femmes à clef : elle peint, elle a envie de s'exposer. Et quand elles ont retrouvé le tableau derrière le radiateur : Lorna va moins bien ces jours-ci, elle se cache, elle se retire.

Une femme écrivain est séquestrée dans une chambre au papier peint jaune. Elle est malade des nerfs. Le Châtelain lui a ordonné de ne plus jamais toucher à une plume, ni à un pinceau, ni à un crayon. Ces choses la rendent encore plus nerveuse et encore plus malade. C'est elle qui a fermé à clef la porte de sa chambre afin de pouvoir arracher le papier peint jaune en toute tranquillité – afin, aussi, d'écrire en cachette. Plus tard, le chloroforme : suicide réussi. Ici, il n'y a pas de papier peint et personne n'a séquestré Omaya. Elle n'a rien à écrire, rien à dire, on lui arrache les mots quand même. Comme des lamelles de papier peint, comme des lamelles de peau.

— Parlez-moi de cet homme.
— Il n'est pas clair.

— Cet homme au-dessus de vous, et qui se
penche… ?

— …

— A quoi ressemble-t-il, cet homme ?

— Il n'est pas clair. Je ne peux pas lever les
yeux vers lui.

— Il ne m'aurait pas ressemblé, à moi, par
hasard ?

— …

— Sur la sellette, à la selle ? Aux cabinets,
dans mon cabinet ?

— …

— Depuis quand êtes-vous amoureuse de moi ?

En face d'Omaya, un très jeune couple s'est
assis. Similicuir noir, similipassion. De son bras le
garçon entoure complètement les épaules de la
fille, de sorte que son poignet à lui se trouve
devant sa bouche à elle. Autour du poignet, un
bracelet clouté. Une bulle en face de chaque dent
blanche. Il serre le bras, le visage de la fille pivote
pour rencontrer le sien. Langues, dents, boutons,
poils, salive, bulles, rouge à lèvres : c'est un baiser. Il la relâche. La fille sourit. Son regard rencontre celui d'Omaya. Elle baisse les yeux, rougit,
sourit encore. Le garçon serre le bras. La fille
résiste. Il serre plus fort. La fille fait pivoter sa tête
et ils s'embrassent. Omaya regarde par la fenêtre,
les murs du tunnel qui défilent. Elle entend les
bruits de succion. Son cœur se soulève.

— Vous avez vu ça ? Elle commence à dégueuler. Ahhh… c'est écœurant.

— Lâche-la, lâche-la un instant. Qu'elle dégueule une bonne fois. Lâche-la, je te dis.

De toute la journée Omaya n'a rien mangé. Elle crache sa bile, la gorge lui brûle. Accroupie dans la sciure, la tête entre les genoux, elle voit – mais très loin d'elle, comme le soleil se couchant dans un ciel d'hiver – une goutte écarlate.

— Cybèle, j'ai peur.

— Oui, ma chérie, je sais. Moi aussi, j'ai peur parfois, mais je suis sûre que ton papa nous reviendra. Tu verras. Tout sera comme avant.

— Pourquoi est-ce qu'il avait le front tout griffé ce matin ?

— Il dit qu'il a marché toute la nuit dans la forêt et que les branches l'ont frappé au visage sans qu'il s'en aperçoive.

— C'est ça ? C'est pour ça ?

— Je ne le crois pas.

— Pourquoi alors ?

— Moi, je pense que… qu'il a essayé de s'arracher les cheveux.

— Mais *pourquoi*, Cybèle ?

— Ma chérie… Il a tant d'idées dans la tête qu'il n'arrive pas à les faire sortir. Alors il a l'impression que sa tête va exploser. Et il a besoin de… enfin, il essaie… C'est comme s'il voulait ouvrir une cage pour libérer les oiseaux qui sont dedans. Tu comprends ?

C'est toi, Cybèle, qui t'es entêtée à comprendre de travers. Plus tard, le Hibou m'a emmenée avec lui dans ses promenades nocturnes. Ce qu'il faisait dans la forêt, c'était non pas ouvrir les cages mais fracasser tout ce qui ressemblait à une limite. Une fois, nous étions en voiture et nous sommes arrivés devant une barrière. Nous avons clairement vu les lettres de l'écriteau : PROPRIÉTÉ PRIVÉE. Ça l'a mis hors de lui. Il est descendu de la voiture en fulminant, il a écarté la barrière et nous avons pénétré ensemble sur le terrain interdit. La joie s'est emparée de lui et l'a rendu méconnaissable. Personne ne nous a vus, personne ne nous a punis, la barrière a été remise en place comme si de rien n'était… Mais les oiseaux, étaient-ils libres pour autant ? Et plus tard encore, quand j'étais dans ma cage à moi, est-il venu m'aider à en briser les barreaux ? Pas une seule fois. Aujourd'hui non plus, il ne viendra pas. Il tourne autour du lac, chaque tour le rapprochant un peu plus de la mort. C'est comme si ses ronds étaient des cercles concentriques, se rapetissant progressivement au lieu de s'agrandir. Et quand il sera parvenu au milieu du lac, ce sera la fin. Le point mort.

> *Un jour, c'est peut-être*
> *l'infinité*
> *Un point, c'est tout.*

C'est un poème de Lorna. Les femmes à clef s'extasiaient : quelle bénédiction, le travail créateur qui vous sort de l'enfer intime. Tout leur était bon. Elles accrochaient au mur de la salle à manger un lamentable dessin de bateau rouge avec cette inscription : J'ai soixante-cinq ans. Je vais bientôt crever. Le bateau faisait naufrage sur la page blanche.

Si on tient la cuiller à la verticale, elle ne flottera pas. Si on entre dans l'eau debout au lieu de se coucher sur elle, on ne flottera pas. Une femme écrivain remplit ses poches de cailloux et entre dans l'eau debout. Suicide réussi. Les vagues sont réelles.

Qui tue
qui tu
qui

C'est un poème de Lorna.

Sur scène, Omaya dit des mots d'amour à un homme qu'elle n'aime pas. L'homme lui répond avec des mots de tendresse feinte, puis de jalousie feinte, puis de colère feinte. Il s'empare d'un poignard réel et fait semblant de le plonger dans le cœur d'Omaya. Omaya s'effondre. Chaque soir, elle s'effondre après avoir prononcé les mots d'amour. Le poignard est réel. L'effondrement est réel. La mort est simulée. Nuit après nuit, Omaya fait semblant de mourir, et on l'applaudit.

Le couteau est affûté comme une lame de rasoir. Omaya est en train de découper un oignon. Toute ma vie je n'ai fait que découper des oignons. Alix derrière moi sifflote, elle a revêtu mon tablier, nous faisons ensemble une omelette espagnole pour notre déjeuner de dimanche, l'Appartement est un Théâtre et tout va bien. Omaya voit le couteau s'approcher, tranche après tranche, de ses doigts qui tiennent l'oignon. Le couteau est réel. Il tranche les doigts : première articulation, deuxième, troisième, poignet. Les doigts font subir à l'oignon une rotation de quatre-vingt-dix degrés. Le couteau recommence, il tranche d'abord l'oignon, ensuite la main gauche d'Omaya, il n'y a aucune douleur, pas une goutte de sang ne tombe sur le carrelage, Alix ne s'est aperçue de rien. Le couteau est réel. Je pourrais le plonger dans la poitrine d'Alix, ce serait si simple… Je ne veux pas ! Mais ce serait si simple : voici le couteau, voilà sa gorge, si je la fais tourner vers moi elle m'offrira sa gorge et ce sera fini en une seconde… Je ne veux pas ! Mais comment être sûre de l'éviter ? Il suffirait d'un instant de distraction…

— D'où vous est venue cette envie soudaine d'égorger votre amie ?

— Pas envie. Ça ne venait pas de moi mais du couteau. Moi, je l'aimais.

— L'amour est souvent une forme détournée de la haine, vous savez. Une forme plus acceptable pour la conscience. Pourquoi désiriez-vous la supprimer ?

— Etes-vous lesbienne ?

— Je… non. Oui. C'est-à-dire que… non.

Chère Omaya ma petite drôle ma bonne actrice ma bonne étoile, sais-tu que je n'ai pas aimé hier soir ta manière de t'effondrer sur scène à la fin de la pièce, tu t'effondres avec trop de conviction, il me semble que cette Femme Rouge est FIÈRE, plus fière que ça, mais peu importe pourvu qu'après tu te relèves, que tu viennes vers moi entière, intègre, les bras ouverts – Alix.

Saroyan lui ouvre la porte, et les bras. Omaya reste droite et raide, les bras collés à ses côtés. Si on se tient à la verticale, on ne risque rien. Si on s'abandonne dans les bras du lac, on peut mourir. Non, c'est l'inverse.

— Entre, entre. Je viens de faire du thé. Tu as soif ?

— J'ai surtout froid.

— Tiens, bois, ça te réchauffera. Alors… tu as envie de retravailler ?

— J'en ai besoin. Il fait si froid, Saroyan.

— Oui. Mais… ça va mieux, quand même ? Tu t'en remets ?

— …

— Je ne peux pas te dire l'effet que ça m'a fait. J'avais envie de les tuer. Je les aurais tués.

— …

— Tu ne veux pas parler de ça ?

— Des interrogatoires à perte de vue.

— Je te comprends. N'en parlons plus. Bois, il faut reprendre des forces. Ma pauvre amie.

— Non.

— Viens au Théâtre demain. On en est justement à la distribution. Il y aura quelque chose pour toi. Tu es sûre que… ce n'est pas trop tôt ?

— Je ne suis sûre de rien.

— Je te donne quand même le texte, tu pourras jeter un coup d'œil sur les rôles de femme pour voir ce qui te plaît.

Omaya tourne les pages. Les mots d'amour se brouillent devant ses yeux.

— C'est difficile…

— Tu ne veux pas qu'on se donne la réplique, là, sur le lit, comme autrefois ? Je vais mettre un disque.

— Non… Il est tard, la nuit commence à tomber.

— Il n'est que huit heures ! Ecoute, il faut que tu surmontes ça. Je suis ton ami. Tu te souviens de moi ?

— ...

— Omaya. Tu t'en souviens ? Je ne te veux pas de mal. Tu n'as plus confiance ?

Saroyan lui prend le visage entre les mains. Son visage à lui s'approche. Un masque. La lippe, les poils, les trous du nez. Omaya hurle. Les mêmes gestes. L'amour est souvent une forme détournée de la haine. Les mêmes gestes. Amour fou. Les mêmes gestes. Haine folle. Enlever les vêtements, embrasser, caresser, aimer. Enlever les vêtements, embrasser, caresser, haïr. La vie, la mort. Les mêmes gestes. Ma femme est enceinte, madame le président.

Les Epouses sont dans le bus, ensemble. Dans le bus il faut céder sa place aux femmes enceintes. Les Epouses sont constamment enceintes. Elles ont pondu, à elles trois, quatorze enfants. Elles les auront fait garder aujourd'hui. Ça ne regarde pas les enfants, ce genre d'histoires. Ça n'a rien à voir avec les enfants. Les enfants ont été maintenus dans le noir le plus total. On leur a dit que leurs pères ont des ennuis avec leur patron au garage. Qu'ils lui intentent un procès. Il ne faut pas dire toute la vérité aux enfants. Nous la savons, nous, la vérité. La vérité, c'est que les hommes ce sont des grands enfants. Il s'agit de le savoir et de se comporter en conséquence.

Les Epouses s'épaulent. Elles se remontent le moral, elles se font des bigoudis, elles s'offrent le café. Assises autour d'une table de cuisine chez l'une ou l'autre, elles passent leurs matinées à bavarder. Elles se comprennent. Dans le bus, deux Epouses sont assises côte à côte. Leurs cuisses étalées sur le siège forment une unique épaisse moquette de chair molle. Leurs genoux potelés frottent les genoux de l'Epouse assise en face. Les six lèvres remuent sans cesse. Elles ont été soigneusement passées au rouge avant le départ. Dans chacun des trois sacs il y a une glace à main et un bâton de rouge, au cas où la première couche ne tiendrait pas jusqu'à midi. Un autre bâton, noir celui-là, pour les yeux, au cas où il y aurait eu des larmes versées. Un mouchoir en papier pour essuyer les traînées noires. Mais il n'y aura pas de larmes versées. Tout se passera très bien. Papa reviendra à la maison. Tu verras, ma chérie. Tout va s'arranger. Tout sera comme avant. Et un portefeuille engorgé : tickets de bus, photos d'enfants, billets de banque ramenés à la maison par le papa en question. Et un peigne, au cas où les boucles sculptées par les bigoudis auraient été ébouriffées par le vent. Et une liste de choses à acheter en rentrant à la maison, pour le repas de réveillon.

— De l'agneau, moi, peut-être. Et vous ?
— Un poulet, je crois bien. Et vous ?
— Moi, du lapin. Mon mari adore ça.

Ce qu'il y a, c'est qu'il y a des filles pour ça. Des filles exprès pour s'amuser. Des filles exprès pour faire des bêtises. Ce qu'il y a, c'est qu'ils avaient passé la soirée à boire. Après l'alcool, les hommes sont encore plus des grands enfants qu'avant. Ils ne savent plus raisonner, ils font des bêtises avec tout ce qui leur tombe sous la main. Leur chance, c'est qu'ils soient tombés sur une malade. Sans ça, les carottes étaient cuites. Cette fille délire, c'est prouvé qu'elle a déliré avant. Il faut s'accrocher à ça, il faut le répéter jusqu'à ce que tout le monde le croie. Ils sont obligés de nous croire, nous, plutôt qu'une comédienne malade. Cette fille délire, elle raconte tout à tort et à travers. C'est elle qui a insisté, ce sont eux qui ont refusé. C'est elle qui s'est mise à hurler, eux n'ont fait que la gifler pour qu'elle se calme. Ils sont rentrés avant minuit. Voilà comment les choses se sont passées. Pas autrement. Oui, ils font parfois des bêtises quand ils ont bu, c'est déjà arrivé. Ils exagèrent, c'est vrai, ils ne savent plus raisonner. Ce sont des grands enfants. Les enfants, ils ont besoin de leur papa, et nous aussi. Avec quoi allons-nous leur acheter à manger ? Déjà c'est juste.

Les Epouses ont peur. Les mots leur donnent du courage, une contenance. Délire – alcool – malade – bêtises – délire – alcool – malade. Les mêmes mots qui reviennent. Table – chaise – bureau – fenêtre – table – chaise – table.

Omaya est montée sur la table, elle a le corps secoué par la musique du juke-box. Les yeux fermés, elle sent le regard inquiet de Saroyan sur elle. Mais il se trompe, ce n'est pas grave, c'est parce que je suis très heureuse ce soir. Je connais bien le patron du café, il ne m'en tiendra pas rigueur. Les autres clients me regardent, eux aussi. Je danse bien, ils apprécient, je suis heureuse.

Saroyan est allé débrancher le juke-box. Il revient vers moi, les yeux noirs d'inquiétude, me prend la main, me fait descendre doucement de la table et m'installe sur une chaise.

— Ça ne va pas ? Qu'est-ce qui t'arrive ?

— Si, justement, ça va, pour une fois.

— Omaya, tu n'es pas au Théâtre. Une table, ce n'est pas une scène. Qu'est-ce qui te prend ? Tu as trop bu ?

— C'était ma chanson préférée, de quel droit l'as-tu coupée ?

— Ne crie pas. Tout le monde nous regarde. Je t'en prie, ressaisis-toi, tu es en train de te rendre ridicule.

Le mot tombe sur Omaya comme une chape noire. Elle croule dessous : bras sur la table, tête sur les bras, ridicule sur la tête. Devant ses yeux, un petit verre rempli de cure-dents. Pieux pointus. On écarte les cuisses de l'agneau, on enfonce le pieu, on pousse, on rit d'effroi, le pieu pénètre dans l'anus, il avance péniblement le long de la colonne vertébrale, à travers la peau on voit une bosse avancer comme le tracé d'une taupe à la surface de la terre, on pousse, la chair se distend, il ne faut pas qu'elle se déchire, le pieu s'enfonce, on rit d'effroi, enfin, au bout d'une dernière lutte autour du thorax, la pointe du pieu émerge de la gorge, on pousse encore jusqu'à ce que, d'un côté et de l'autre de l'animal, les bouts du pieu soient de longueur égale… Omaya se lève lentement, elle s'empare du verre de cure-dents, elle va jusqu'à la table voisine et s'empare du verre qui est dessus, elle fait le tour du café en ramassant tous les verres de cure-dents, poliment, en en demandant la permission aux clients interloqués – et Saroyan, que faisait-il pendant ce temps ? Je n'en garde pas le moindre souvenir – et puis, tenant une vingtaine de petits verres dans le creux de son bras gauche, elle se dirige vers les toilettes.

Tous les pieux à l'eau ! En vrac, dans tous les sens, comme ces troncs d'arbres géants qui descendent la rivière et se coincent dans un tournant, s'arrêtent, se heurtent, s'entassent… Carambolage ! Embouteillage ! *Achtung !*

Omaya tire la chasse.

— Tu as encore oublié de faire ton devoir ?

— Non, je l'ai fait…

— Regarde-moi ce grimoire. C'est du joli. Quand commenceras-tu à prendre l'école au sérieux, Omaya ? Tu n'écoutes pas les leçons, tu n'essaies pas de te concentrer, tu es tout le temps en train de faire le clown. Tu te crois maligne ? Tu es complètement ridicule. Ça ne va pas du tout, tu sais. Je vais en parler à ta mère.

— Je ne comprends pas, Omaya. Regarde ces notes. Qu'est-ce qui se passe ? Jusqu'à l'an dernier tu n'as jamais eu de problèmes à l'école, et soudain tu te mets à dégringoler ? Tu fais des farces, tu imites la maîtresse, il paraît que tu es devenue le pitre de la classe ?

— C'est parce que je m'ennuie à l'école cette année, et la maîtresse m'attend au tournant… Les autres s'ennuient aussi, seulement ils n'osent pas le dire. Ça me plaît de les faire rire de temps en temps.

— Ne me dis pas que l'école t'ennuie, c'est ridicule. Il y a toujours des choses à apprendre, ce n'est pas une question de maîtresse. Même moi, je n'ai pas cessé d'apprendre chaque jour des choses nouvelles. Il suffit d'être attentive, sur le qui-vive, toujours à l'écoute du monde environnant.

— C'est bien Robert, n'est-ce pas ?

— Tiens, tiens. Comment ça va ?

— Je me disais bien que c'était vous.

— Ça alors ! je ne sais pas si je vous aurais reconnu.

— Vous allez bien, depuis le temps ?

— Ça va, ça va, oui.

— Qu'est-ce que vous devenez ? Vous avez changé de boîte ?

— C'est ça. Je travaille dans un autre quartier maintenant. Et puis je ne fais pas exactement la même chose qu'auparavant.

— Vous avez eu une promotion ?

— Voilà. Il y a un an.

— Félicitations ! Et là, vous faites quoi ?

— Oh… vous savez…

— C'est du genre marketing ?

— Oui, c'est ça en gros : les sondages, la publicité, la mise en forme, la mise en boîte, la spéculation, la spécularisation, la statistique.

— L'intelligence artificielle ?

— Ça aussi, parfois, les stages d'informatique, les computations, les computérisations, nous nous efforçons de débusquer le ridicule partout où il se terre, d'éliminer au maximum les possibilités d'échec, les insécurités, les mauvaises langues. Et vous alors, vous êtes toujours au même endroit ?

— Je n'ai pas bougé.

— Vous ne vous ennuyez pas trop ?

— Moi ? Oh ! moi, vous savez… Je ne suis pas très ambitieux… Je dois descendre ici – vous n'avez pas le temps de prendre un café ?

— Désolé, j'ai un rendez-vous important à dix heures pile. Ce sera pour la prochaine fois. Salut.

— A la prochaine, alors. Et bonne continuation !

Omaya regarde par la fenêtre, les murs du tunnel qui défilent. Cybèle, elle, ne regarde jamais par la fenêtre, elle dit qu'on ne peut rien apprendre d'un paysage. Un paysage n'est pas humain, seul ce qui est humain est digne d'intérêt, et c'est plus que suffisant, c'est inépuisable. Elle dit : Tu ne peux pas imaginer la complexité du cerveau de l'homme, c'est un véritable miracle, quelle machine extraordinaire. Cet avion, par exemple, que j'ai pris hier soir pour venir te rejoindre, j'étais à l'intérieur, et pourtant l'avion lui-même avait d'abord existé à l'intérieur de la tête d'un homme. Le propre de l'homme, c'est d'imaginer des choses qui le dépassent. Toi aussi, tu as beaucoup d'imagination, seulement tu ne sais pas encore l'utiliser à bon escient, pour façonner du réel. L'imagination, à elle seule, ne suffit pas. Je ne mets pas en cause tes dons de comédienne, ça va de soi, seulement... Si tu faisais du cinéma, au moins il en resterait quelque chose. Avec le théâtre, dès qu'un spectacle est terminé il disparaît, et c'est comme si tu n'avais rien créé du tout. Je suis sûre que c'est pour ça que tu es triste en ce moment. Tu te trouves entre deux spectacles, tu flottes un peu, tu as la tête vide – mais ça se comprend !

Cybèle ne comprend rien. Elle parle parce qu'elle ne peut pas encore décemment s'en aller ; elle essaie de hâter la fin de la visite. D'ordinaire, quand il y a des choses qu'elle ne veut pas voir, elle peut toujours s'en protéger avec un livre ou un magazine. Ici, pas moyen de détourner le regard. Nous nous promenons dans les allées et elle est forcée de contempler tous ces gens sans clefs, ça la met affreusement mal à l'aise, alors elle me fixe, elle me sermonne, ça fait passer le temps tout en lui soulageant la conscience.

— Tu ne dis rien.

— Je n'ai rien à dire.

— Ça t'est égal, de rester ici parmi tous ces naufragés ?

— Oui, ça m'est égal.

— Ne dis pas ça, Omaya, tu me fais de la peine. Tu n'as pas envie de sortir ? Puisque tu peux t'en aller quand tu veux. Réponds-moi, je t'en supplie. Tu n'as pas envie de sortir ?

— Non, Cybèle. Je – n'ai – pas – envie – de – sortir.

— Mais qu'est-ce qu'il y a ? Tu es droguée ? Ils t'ont bourrée de tranquillisants, c'est ça ? Tu parles comme une somnambule.

Cybèle est toute nouée, la détresse lui déforme les traits, je n'y peux rien, je voudrais qu'elle s'en aille.

— Tu ne dis toujours rien.

— Va-t'en, je t'en prie, Cybèle. Va-t'en.

— Vous ne dites rien.

— Mon cerveau est coagulé, les mots ne sortent plus.

— Pourquoi parlez-vous toujours de coagulation ? Les mots, ce n'est quand même pas du sang. La bouche, ce n'est pas une plaie ouverte d'où suinterait le langage. Pouvez-vous retrouver l'origine de cette image ?

— Il va falloir que vous leur répondiez d'une voix forte, que vous ayez l'air convaincu. Ne pas hésiter. Les regarder en face et leur dire les choses en face.

— Ils vont recommencer depuis le début ? Pourquoi êtes-vous sortie du Château ?

— Oui. Il faut tout reprendre, chaque fois, depuis le début. Mais vous essaierez de ne pas y faire attention. De parler haut et fort sans réfléchir, comme au théâtre.

— Le travail des masques, c'est pour vous forcer à vous passer du langage. Pour vous faire découvrir les possibilités expressives de votre corps, tous les messages qu'il est capable de transmettre sans recours aux mots. Vous travaillerez chaque semaine avec un masque différent. La distribution des personnages sera totalement arbitraire. Chacun d'entre vous jouera, tour à tour, le Clown, le Hibou, le Poulet, la Sorcière, la Vamp, et ainsi de suite. Vous travaillerez d'abord tout seuls devant la glace, ensuite en paires. L'idée est de parvenir à mettre votre corps entièrement en accord avec le masque. Trouver les gestes, les tics, les habitudes physiques qui lui conviennent. Votre propre visage ne vous servira à rien ; cela veut dire que vous devrez changer de métabolisme, subir une métamorphose complète. Pour ce faire, il vous faudra connaître intimement le passé du masque. Quelles sont les expériences qui lui ont fait adopter cette grimace-là plutôt qu'une autre ? Quels souvenirs se trouvent imprimés dans sa tête et dans son corps ? Il vous faudra inventer ces souvenirs avec le plus de précision possible, et les faire vôtres. Les ressasser jusqu'à ce que les mouvements correspondants vous soient devenus naturels. Ensuite commencera, petit à petit, l'interaction avec autrui. Qu'est-ce qu'un Hibou aurait à dire à une Sorcière ? La Vamp, comment se comporterait-elle en face du Clown ? Ainsi de suite. Allez-y, choisissez vos masques pour la semaine, de toute façon vous finirez par les connaître tous.

Au-dessus de la cheminée, dans la chambre de l'Appartement-Théâtre, une glace. Sur la cheminée, deux bougeoirs. Omaya a allumé les bougies. Alix est déjà au lit, elle attend que je vienne la rejoindre. Les ombres jouent sur le visage d'Omaya reflété dans la glace. Elles lui déforment les traits, creusant les cernes, accusant les rides, abîmant la peau. Omaya se regarde vieillir. Elle cesse de respirer. Trente-cinq ans, quarante ans, cinquante, soixante, soixante-dix… La peau craquelle, les joues s'affaissent, les yeux s'enfoncent, les cheveux blanchissent, les rides se ramifient en une toile d'araignée à chaque instant plus dense. Omaya rit d'effroi et reconnaît la grimace de sa grand-mère. Elle se retourne vers Alix et traverse la pièce à petits pas, les bras tendus. Elle articule : Alix… et sa propre voix lui parvient comme de très loin, étiolée.

— Viens au lit, mon ange, je m'endors.

— Alix, où es-tu ? Je ne vois rien…

— Viens. Viens, s'il te plaît, je n'ai pas envie de jouer.

Je ne trouve pas le lit. Je tâtonne dans un brouillard tangible comme du coton. Le coton entrave mes gestes, me bloque la gorge et les narines, j'entends Alix m'appeler mais comment la rejoindre ? Mon nom résonne entre deux cimes de montagne alors que moi je suis en bas dans la vallée, étouffée par ce brouillard…

On me saisit par les épaules, on me secoue, on me gifle.

— Arrête de crier, tu entends ?

On me saisit par les épaules, on me secoue, on me gifle.

— J'ai pu constater au moment de la consultation qu'elle avait des bleus sur le visage, sur la poitrine et sur le ventre. De plus, il y avait une déchirure…

Le pieu avance le long de la colonne vertébrale. La chair se distend, il ne faut pas qu'elle se déchire.

— Pourquoi avez-vous refusé de vous soumettre à l'examen médical qu'a ordonné la Cour ?

— Excusez-moi… Pouvez-vous répéter la question ?

— Pourquoi avez-vous refusé de vous soumettre à cet examen ?

— Je me suis trompée de salle, ce n'était pas cet examen-là que je devais passer, LE DÉFI DE L'ÉDUCATION, je n'avais pas fait d'études là-dessus, c'est à un autre examen que j'étais convoquée.

— Vous aviez fait des études de quoi, exactement ?

— De théâtre…

— Et vous aviez déjà travaillé en tant que comédienne ?

— Oui.

— Vous aviez donc une certaine habitude de la dissimulation, de la surenchère, en un mot, du mensonge ?

— Omaya, tu me désespères. Quand apprendras-tu à dire la vérité ? Savoir que tu prends de l'argent dans mon sac me fait bien moins de peine que de savoir que tu me mens. Qu'est-ce que tu voulais faire de cet argent ?

— …

— Réponds-moi ! Qu'est-ce que tu allais en faire ?

On me saisit par les épaules, on me secoue, on me gifle.

— Tu vas me répondre. Tu vas me dire la vérité.

— Je voulais m'acheter un bâton de rouge.

— Du rouge à lèvres ? Pour quoi faire ? Pour faire le pitre encore une fois, c'est ça ?

— Tu veux arrêter de faire le clown ?

Alix est livide. Je peux la voir maintenant. Je suis sur le lit et elle est penchée au-dessus de moi. Elle me gifle. Je sais que c'est Alix et qu'elle me veut du bien. Ahanements. Halètements.

— Arrête, Alix. S'il te plaît. Je n'arrive pas à respirer.

— Mais enfin, qu'est-ce qui t'a pris ? Tu m'as terrorisée !

— Ne me regarde pas comme ça, je t'en prie… Tu es en train de devenir…

— Qu'est-ce que je suis en train de devenir ?

— Oh ! non… ton visage…

— Qu'est-ce qu'il a, mon visage ? Tu ne vas pas recommencer ? Omaya, arrête ! Tu dors ou quoi ? Secoue-toi ! qu'est-ce qu'il a, mon visage ?

— Alix, tu n'es pas… Tu n'es pas une femme…

— Je vais me fâcher pour de bon, si tu continues. Arrête ton cirque.

— … Tu es un homme.

Et elle s'habille, les gestes fermes, sûrs, rapides, et elle ne mettra plus jamais les pieds dans l'Appartement, et l'Appartement ne sera plus jamais un Théâtre, et tout recommencera comme avant, mais pire qu'avant, la chaudière, le four, les explosions, les conflagrations, les suicides… Aujourd'hui, Alix viendra, elle conduira la camionnette, elle sifflera entre les dents, elle tournera la tête pour parler aux Amies, et elle rira très fort. Pendant l'audience, si je la regarde, elle me sourira. Toutes, elles me souriront, elles me feront des signes d'encouragement avec les mains. Pour se donner du courage, on ferme le poing et on lève le bras comme le font les champions de boxe, ça veut dire qu'on est fort, qu'on sait se défendre, qu'on ne redoute rien ni personne. Toutes les Amies lèveront le poing, elles entreront au Tribunal en chantant à tue-tête une chanson faite de calembours insolents, elles auront la main droite levée et elles se tiendront la main gauche pour faire une chaîne de violettes et de roses. Ce seront les seules taches de couleur sur toute la scène : autour d'elles, les costumes bleu marine ou noir et blanc des autres figurants, cette masse ténébreuse et menaçante, la ribambelle de flics en uniforme, raidis, aux aguets, caressant furtivement leur matraque, le juge, le procureur, les avocates, femmes métallisées par l'ambition, toutes de noir et de pouvoir vêtues, même Anastasia aura adopté ce déguisement pour passer inaperçue, elle me semblera distante, presque étrangère… Et puis, sur ce fond sombre et immobile, les Amies se mettront à danser. Elles virevolteront ensemble au milieu du Tribunal, et de leurs bras elles tisseront un filet dans lequel elles me prendront, tout doucement comme un papillon, puis elles m'emporteront, elles m'entraîneront loin de là, leurs bras seront un mirifique patchwork dans lequel je me blottirai, me loverai jusqu'à ce que toutes nous soyons hors de danger…

Si vous vous sentez en danger dans la rue, criez :
Au feu ! Si vous entendez quelqu'un en train de
forcer la porte de votre maison, criez : Jean ! Va
chercher le fusil ! Si vous habitez seule, il ne faut
pas qu'on puisse le savoir. Faites inscrire un nom
masculin dans l'annuaire et sur votre boîte aux
lettres. Mais il vaut mieux ne pas habiter seule, et
ne pas sortir seule, surtout la nuit, cela relève du
simple bon sens.

Et dans le métro comment faire, et que faut-il
crier ? Dans le métro s'écraser, ou se faire écraser.
Comme cette fillette orientale l'été dernier, les
cheveux roulés sur le sommet du crâne en chignon
de ballerine, le profil d'une finesse presque dou-
loureuse, de la porcelaine ciselée… Elle s'est
appuyée contre une des barres verticales, l'enla-
çant de sa jambe nue qui en faisait presque le tour,
j'ai frissonné de voir le contact de sa peau et du
métal froid… Et puis soudain, la porcelaine
blanche est devenue cramoisie : j'ai vu une ligne
rouge nettement démarquée partir du cou et grimper, comme une vague grimpe sur la plage, jusqu'à ce qu'elle lui ait recouvert le front, j'ai vu les
poils noirs de la nuque se hérisser sous l'impact
de cette marée de sang, et brusquement elle a
reposé le pied par terre, elle m'a tourné le dos et
j'ai vu, sur le siège à côté du mien, la chose – rou-
geâtre, elle aussi, mais molle – qui disparaissait
dans la braguette d'un pantalon… Le train s'est

arrêté et elle est descendue, la gorge frêle nouée, la jugulaire battant, portant sa beauté comme une lèpre, comme une tare. ⎯⎯

Elle monte dans un autre wagon, cette fois elle tient la barre avec sa main, elle a les yeux rivés au sol, et puis la main d'un homme glisse lentement sur la barre et se colle contre la sienne, elle déplace sa main, l'autre main la suit, monte sur elle et la recouvre… Elle lâche la barre, se cramponne contre le dossier d'une banquette, s'applique à perdre toute souplesse, à devenir rigide depuis les pieds jusqu'aux épaules, elle sent ensuite une paume pressée à plat contre sa cuisse, elle se fige comme une machine délicate quand elle s'emballe et se coince, elle ne parvient pas à se retourner, ne cherche pas à savoir à quel visage correspond ce membre moite, la main insiste, devient plus explicite, remue et s'insinue vers l'entrejambe, le train s'arrête, la fille descend… Elle ne remontera plus, elle avance sur le quai, se frayant un chemin à travers la foule, des doigts anonymes la frôlent à chaque pas, elle s'esquive pour la millième, pour la cinquante millième fois, elle entend le bruissement des pauvres mots, toujours les mêmes, la chatte, veux-tu me sucer, viens que je t'empale, et encore la chatte, et peu à peu la porcelaine, de fragile, devient friable.

Elle entend : charmant sourire, et ses dents tombent par terre. Gencives sanguinolentes, joues caverneuses, lèvres amorphes, elle poursuit son chemin. Elle entend : Ah ! la belle chevelure, et ses tresses noires brillantes se détachent du cuir chevelu, deviennent des touffes grisâtres qu'elle arrache par poignées. Elle entend : Ah ! les beaux yeux, et elle devient aveugle. Couvrant d'une main ses orbites vides, elle avance dans les couloirs en tâtonnant de l'autre. Puis elle entend : Ah ! les jolies jambes, et elle se retrouve cul-de-jatte.

Quelle loque ! De nouveau elle attire l'attention des autres passagers, mais c'est une attention encore plus malveillante qu'avant : ce mélange rance de pitié, de dégoût et de mépris que portent les êtres intègres aux êtres désintégrés. Elle rejoindra les mendiants assis par terre ou affalés contre les murs, et c'est avec eux qu'elle achèvera le temps qu'il lui reste à vivre…

Je viens de la tuer. C'est Omaya qui vient de la tuer.

Pourquoi avez-vous eu envie d'égorger votre meilleure amie ?

Chère Omaya ma grande et nouvelle bonne amie, je suis tellement émue de penser que tu es venue habiter ma vie, sais-tu que jamais deux personnes qui s'aiment ne peuvent être seules, je pense sans cesse à toi et ça me donne envie de claironner, je ne suis pas triste de voyager sans toi, je pense à tous les voyages que nous ferons ensemble et je lâche le volant pour taper de joie dans mes mains – Alix.

Je suis assise entre les genoux du Hibou. Je tiens le volant. C'est la forêt, c'est le crépuscule, c'est la paix. Je sais conduire, je suis vraiment grande maintenant, il me parle comme à une grande, mes mains sont à la place de ses mains, nous ne formons qu'un seul corps.

A peine une ombre. Là – devant – vite – maintenant – juste devant : trait gris esquissé entre les buissons et la route. Le ciel est mauve. Choc bruit. Sourd court. Qu'est-ce ? Le Hibou freine. Omaya est projetée contre le volant. Klaxon. Qu'est-ce ? La voiture est stoppée au bord de la route. C'est une lapine. Omaya vient de l'écraser. Non ! C'est lui ! Son pied sur l'accélérateur, puis sur le frein, trop tard. C'est lui ! Omaya tient le volant. Choc. Trait gris esquissé. Bruit sourd. Ombre. C'est une lapine. Le ciel est mauve. Le Hibou pose Omaya dans l'herbe, il fait quelques pas en arrière sur la route, il se penche et il relève la tête : C'est une lapine. Elle est morte. Omaya l'a tuée. C'est lui ! C'est lui qui l'a prise par les deux pattes arrière et qui l'a ramenée vers moi, pendue la tête en bas, suspendue au balcon par sa chemise de nuit, dans la raideur de la mort. Le mouvement. A peine une ombre. Je l'ai vue. Je ne l'ai pas vue. Il a freiné. Plus de mouvement. La voiture stoppée. Il lève la tête : c'est une lapine. Elle est morte. Il la ramène, la pose dans le coffre sur une bâche en plastique. Il n'y a pas de sang. Aucune douleur. Elle n'a même pas frétillé. Choc court. Les yeux exorbités. Arrachés de leurs orbites. Le corps raide suspendu la tête en bas. C'est lui ! Le sang qui dégouline des orbites vides. C'est lui ! C'est le Hibou qui l'a écorchée, pelant les pans de peau, relevant la peau à partir de la croupe le long du dos, c'est lui qui l'a débitée en morceaux pour en faire un ragoût, lui qui s'en est délecté. Omaya ne voit rien de tout cela. Elle est au fond du lit, grelottante, la tête légère, néons devant les yeux. Tu ne viens pas manger ? Une cuisse ? un peu de foie ? le cœur qui ne bat plus ?

Dans la ville elle marche vite, la tête dans les épaules, les yeux par terre. Elle traverse la rue à toute allure. A peine une ombre, un trait esquissé. Klaxon. Elle sursaute et se retourne, les yeux exorbités. Derrière le volant, un homme lui sourit, lui fait signe de la main. Elle ne le connaît pas. Lui la connaît, dit son sourire. L'homme sait tout sur Omaya. Ses yeux la débitent en morceaux. Elle traverse la rue en s'efforçant de tenir les morceaux ensemble. Elle a oublié comment on fait pour marcher. En principe il suffit de mettre un pied devant l'autre, mais c'est ne pas compter avec le reste : les bras qui échouent à compenser le déséquilibre du corps au moment où le poids passe d'un pied à l'autre, la tête qui risque à tout moment de tomber sur le côté, vous précipitant au milieu de la chaussée... Klaxon ! Sursaut. Sourire. Démembrement. Reprise de la marche, chaque fois plus difficile.

Alix se moque de moi.

— Tu exagères vraiment, mon ange.

Alix et Omaya se promènent ensemble, enlacées, le long d'une route. C'est la forêt, c'est le crépuscule, c'est la paix. Elles parlent à voix basse, de temps à autre elles rient, je suis heureuse. Et puis, derrière elles : le bruit d'une bicyclette. L'homme à vélo les dépasse en se retournant pour les reluquer. Une cinquantaine de mètres plus loin il s'arrête, fait demi-tour, les croise. S'arrête, fait demi-tour, les dépasse. S'arrête, fait demi-tour, les croise. Omaya s'est tue. Elle entend le bruit de la bicyclette qui s'éloigne et se rapproche, s'éloigne et se rapproche. Alix, elle, feint de n'avoir rien remarqué, elle parle encore.

— Je n'arrive pas à t'écouter, Alix... J'ai peur.

— Tu as peur ? De lui ? Non. C'est ça ?

— Oui... Je ne peux pas m'en empêcher... je me dis, s'il avait un couteau...

— Mais que veux-tu qu'il fasse d'un couteau ? Nous sommes deux et lui est seul.

Eviter la solitude, surtout.

— Ma cliente était seule, ils étaient trois. Si elle leur avait opposé une réelle résistance, elle aurait pu mourir.

Si on se fait piquer par trois frelons différents, on peut mourir. Meurt-on aussi de trois piqûres d'un seul et même frelon ? Ou bien son venin perd-il de sa puissance avec chaque injection ? Le bourdonnement s'interrompt, le dard s'enfonce, éjecte son poison, se retire. La paralysie gagne peu à peu toutes les parties du corps. L'aiguille s'enfonce, éjecte son poison, se retire. La paralysie gagne toutes les parties de l'esprit, le bourdonnement du cerveau s'interrompt. Le marteau-piqueur éventre la terre, sa vibration assourdissante déchire l'air tandis que la foreuse s'enfonce sous la peau de la ville. Il n'y a aucun moyen de s'en défendre.

Exaspérée, Alix se plante au milieu du chemin devant la bicyclette. Elle s'empare du guidon, forçant l'homme à mettre pied à terre.
— Ecoute, tu aimes faire du vélo, n'est-ce pas ? N'est-ce pas ? Et nous, on aime se promener tranquillement. Eh bien, si tu ne nous laisses pas nous promener tranquillement, on ne te laissera pas faire du vélo, et tu vas te retrouver à pied. C'est clair ? Tu as compris ?
Hésitation. Lutte des regards. Puis l'homme – ce n'est en fin de compte qu'un très jeune homme,

presque un garçon – remonte sur son vélo et déguerpit. Alix éclate de rire. Elle revient vers moi, m'entoure de ses deux bras.

— Ça va maintenant ? Tu n'as plus peur ?

— Ça va, oui… Mais j'aime autant rentrer tout de suite à l'hôtel. La nuit commence à tomber.

Les points vulnérables du corps d'un homme, ce sont, de haut en bas : les oreilles, le nez, la pomme d'Adam, le plexus solaire, l'aine, les tibias, les pieds. N'oubliez pas que vos pieds à vous, ainsi que vos ongles et vos dents, peuvent être des armes redoutables. Toutefois, si vous donnez des coups de pied, ne levez jamais la jambe entière. Levez seulement le genou et donnez des petits coups, soit avec la pointe de votre chaussure, soit, s'il vous a surprise par-derrière, avec le talon aiguille. Sinon, il pourra s'emparer de votre jambe et en profiter pour vous faire perdre l'équilibre et vous renverser par terre. S'il vous bâillonne avec la main, il faut tenter d'en séparer l'index et le médius avec vos propres doigts ; cela fait mal et l'obligera à lâcher prise, au moins momentanément. Mais en tout état de cause, souvenez-vous de cette règle fondamentale : si vous décidez d'avoir recours à la résistance physique, celle-ci doit être *totale* et avoir lieu en *dix secondes* au plus, à partir du moment de l'attaque.

— Allez, grouille-toi. On t'a dit qu'on allait te raccompagner au Château. On est des hommes de parole, hein ? N'est-ce pas ? Tout ce qu'on veut, c'est te regarder. D'abord on te regarde, ensuite on te raccompagne. D'accord ?

Sous le néon blanc, Omaya se débat avec les boutons de sa chemise. Toute ma vie je n'ai fait que me débattre avec des boutons. Autour de celui du haut, un fil s'est entortillé. Omaya a les doigts engourdis, j'ai froid, j'aurai toujours froid, je n'arrive pas à attraper le fil, le temps s'est congelé, on sera toujours au mois de décembre et le bouton résistera toujours…

— Plus vite ! On ne va pas attendre toute la nuit. Grouille-toi, merde !

La salle est surchauffée. La femme dégrafe d'une arabesque son soutien-gorge et le lance au milieu du public. On l'applaudit. La femme danse. Un spot la suit, tous les regards convergent sur elle. La femme est belle. La lumière est chaude. Les phares de la voiture… Mais non, cette lumière-là est froide, d'ailleurs il n'y avait pas de phares, c'était le crépuscule, c'est la faute du Hibou, c'est lui qui a freiné trop tard et elle a été tuée sur le coup, elle n'a même pas frétillé… La femme frétille, elle défait d'une arabesque les rubans qui retiennent son slip, enlève le slip, le lance au milieu du public. Applaudissements. La musique s'accélère, se lubrifie, la femme frétille plus vite.

Des gouttes de sueur coulent de tous les fronts et convergent en des ruisseaux, des fleuves de sueur envahissent la scène. La femme se laisse porter par les vagues. Elle sourit, les lèvres mouillées entrouvertes. Aveuglée par le spot, elle ne voit rien mais elle entend, dans les syncopes de la musique : halètements. Ahanements. La femme défait les jarretelles de la cuisse gauche et, tout en dansant, elle commence à enrouler le bas. Applaudissements. Le bas s'enroule, dévoilant le genou, le mollet et le pied enfin. Est-ce qu'elle enlève alors sa chaussure pointue talon aiguille, afin de pouvoir ôter complètement le bas ? Remet-elle ensuite la chaussure en y glissant son pied nu ? Je ne sais pas. Tout cela n'est qu'arabesques, applaudissements, lumières, sueurs, tambours battants. Quoi qu'il en soit, la même chose arrive ensuite à la jambe droite, et puis c'est le porte-jarretelles lui-même qui vole en l'air. Ovation. La femme est désormais entièrement nue hormis les chaussures pointues talon aiguille et le triangle de perles blanches qui recouvrent le triangle de poils noirs qui recouvrent le rien. Le spot s'éteint. La danseuse disparaît derrière le rideau, elle va ramasser son cachet. On rallume dans la salle. On voit des femmes bien habillées en train de s'entretenir poliment avec des hommes en train de rajuster leur pantalon et de réclamer du champagne. Tout cela coule à flots : l'argent, l'alcool, la sueur et le reste. Traînées de rouge et de noir, traînées blanchâtres.

Cybèle, elle, ne se maquille jamais. Intelligence artificielle, corps naturel. C'est pourquoi j'ai dû lui voler de l'argent pour acheter du rouge, sinon je lui aurais volé son rouge à elle. Plus tard, directement au magasin ; bâtons de rouge, d'orange, de rose, de bleu, de noir. Crèmes blanches, beiges, brunes. Bombes et bigoudis. La porte de la salle de bains fermée à clef, au cas où Cybèle reviendrait à l'improviste. En fait, Cybèle ne revient jamais à l'improviste. En fait, à l'improviste, Cybèle n'a jamais fait que s'en aller. A bientôt, mon Omaya. C'est à toi de t'occuper toute seule maintenant de ton papa. Je sais que tu vas bien te débrouiller, j'ai confiance en toi. Elle m'embrasse et elle s'envole…

Dessiner la ligne des paupières en commençant toujours par le coin intérieur de l'œil en procédant vers l'extérieur. Appliquer le blush d'abord sur les pommettes pour les faire saillir, ensuite sur le menton pour équilibrer l'ensemble du visage. Si vous avez oublié votre blush, vous pouvez toujours vous pincer vivement les pommettes pour y faire affluer le sang. Au besoin, vous pouvez arracher un peu de peau à cet endroit avec des pinces pour y faire couler le sang. Avant de colorer les lèvres, il faut en dessiner le contour avec un crayon du même ton, et si possible de la même marque, que votre rouge. Si vous avez des grains de beauté, il n'est pas obligatoire de les faire disparaître sous le fond de teint. Vous pouvez également les rehausser avec votre crayon à sourcils, cela vous donnera une beauté plus originale. Epiler soigneusement les sourcils au moins une fois par semaine. Les faux cils sont à déconseiller sauf pour celles qui en ont réellement besoin, les albinos et les rousses très claires. Si vous mettez des faux cils, ne jamais oublier de les enlever avant de vous mettre au lit et – très important – avant de pleurer. Enfin : onguent anticernes chaque matin au moment du réveil ; cela doit devenir un geste aussi automatique que celui de vous laver les dents.

Cybèle prétend qu'à force de me gribouiller des traits noirs sur les yeux, je vais m'abîmer les paupières – et, à la longue, la vue. Je ne verrai plus clair dans le noir. Je ne serai plus la fille de mon père. Il m'a donné ses yeux de hibou et je les gâte.

Le Hibou fait la sieste. Omaya s'épile soigneusement les sourcils. Les pinces s'enfoncent dans l'œil. Elle met du bleu sur les paupières, des paillettes sous les arcades sourcilières. Elle ramasse les cheveux sur la tête et retient d'une main le ruissellement de leur cascade. J'avais encore les cheveux longs à cette époque. Les yeux mi-clos, elle se regarde de profil à travers le mascara des cils. Elle est belle. D'une beauté à vous couper le souffle. L'enfant vedette. OMAYA. En néon. Les gens sont obligés de faire la queue pour voir ses films. Quelle femme-fille étonnante ! Pourrions-nous vous prendre en photo, mademoiselle ? Je ne demanderai pas beaucoup de votre temps : pourrais-je avoir votre autographe ? L'argent coule à flots. Omaya se laisse porter sur la vague. Elle vole partout, visite des pays où Cybèle n'a jamais mis les pieds. Cybèle est verte de jalousie. Je lui envoie de l'argent pour qu'elle puisse venir me rejoindre. Elle assiste à mes répétitions, mes habillages, mes séances chez le coiffeur. Elle hoche la tête, incrédule : Qui aurait cru que je verrais ma fille, celle qui ne voulait pas qu'on lui coupe les cheveux, en train de se faire coiffer par les meilleurs spécialistes du monde ?

Les femmes sans clef vont au salon de coiffure aussi souvent que possible. Il est aménagé exactement comme les salons de la ville : sur une table basse, des magazines papier glacé où foisonnent conseils de maquillage et de régime ; sur une étagère, des produits de beauté alignés comme des soldats. Les femmes sans clef ont droit à un shampooing par semaine et à une coupe par mois. La coiffeuse, Suzanne, est douce et généreuse. Elle leur prodigue tous les jours des compliments sur leur bonne mine. Elle accepte aussi de les maquiller, tout en sachant que son travail sera gâché dans la demi-heure qui suit par des traînées de bave, des doigts oublieux qui se promènent sur les joues, des poings qui frottent les yeux. Omaya va chaque matin au salon de coiffure, rien que pour regarder travailler Suzanne. Elle ne se contemple plus dans la glace, ne supporte plus l'idée des mains qui pourraient la toucher.

— Où allez-vous ?

— Au centre-ville.

— Montez… Vous n'avez pas peur de faire de l'auto-stop toute seule ?

— Moi ? Non. Pourquoi ? Je devrais avoir peur ?

— Pas avec moi, mais vous ne pouviez pas savoir sur qui vous alliez tomber. Il y a des plaisantins…

— Jusque-là je suis toujours tombée sur des gens comme vous, qui souhaitaient me protéger des plaisantins.

— Ah ! bon… Vous n'avez pas froid aux yeux, hein ?

Et puis sa main. Mon genou. Sa main sur mon genou.

— Arrêtez la voiture, je descends là.

— Mais on est encore loin du centre-ville.

— Arrêtez, je vous dis. Tout de suite !

— Du calme… Ne vous crispez pas comme ça.

Le pied sur l'accélérateur. Le frein trop tard. Ne viendra plus jamais. C'est une lapine. Elle est morte.

— C'est pas la peine de hurler ! Bon Dieu ! Vous êtes malade ou quoi ? Descendez alors, espèce de…

— Arrêtez la voiture. Je veux descendre.

— Je connais un café près d'ici. On boit un verre et on vous ramène.

— Non. Je préfère descendre tout de suite. Je ne me sens pas bien.

— Ecoutez. Il pleut des cordes, tout est fermé, il n'y a plus de bus à cette heure-ci.

— Je prendrai un taxi.

— Vous nous avez dit que vous étiez fauchée. C'est nous, votre taxi, justement.

— J'ai une amie qui habite à deux pas, j'irai passer la nuit chez elle.

— Ce qu'elle est têtue ! Ça suffit, tu feras ce qu'on te dit.

Omaya tend le bras vers la portière. Il est interdit de descendre d'un train en marche. Et puis sa main. Ma joue. Sa main sur ma joue.

— T'es malade ou quoi ? Tu vas te tenir tranquille ?

Dans la rue : klaxons. Cacophonie. Omaya se retourne, les yeux exorbités. Qui est morte ? Le cœur qui ne bat plus... Mais non, c'est un mariage. Sur le siège arrière de la voiture : une femme en blanc serrée entre deux hommes en noir. L'homme au volant appuie de toutes ses forces sur le klaxon. Vacarme. *Alarme ! Alerte ! Achtung !* La sirène hurle : Au feu ! Le Château brûle, la femme qui voulait danser est entièrement carbonisée. Si vous vous sentez menacée dans la rue, criez : Au feu !

— Ça ne sert à rien de crier. Personne ne peut t'entendre. Ça ira mieux pour toi si tu es gentille avec nous.

J'ai une place assise mais Alix est debout. On est ensemble sans se toucher, sans se regarder, on s'aime. Et puis – au-dessus de moi, derrière moi – j'en suis sûre. Cette fois c'est vrai. Je le sens. Il est là. Il est vraiment là. Je ne le vois pas, je suis incapable de tourner la tête, le cou d'Omaya est une colonne de béton, mais je le sais. Je ne rêve pas. Et puis sa main. Mon épaule. Sa main sur mon épaule. Maintenant. C'est maintenant qu'il faut réagir. Torsader la colonne. Débloquer la langue. Sauter sur les pieds. Et puis non… C'est Alix qui l'a poussé – et lui – et sa rage – sa main qui fait un poing… Omaya se retourne lentement sur son siège, lentement comme dans un plan de ralenti au cinéma, alors que la bousculade derrière elle se passe en accéléré, et avant même qu'Omaya ne se soit levée Alix est projetée à travers la moitié du wagon, elle est déjà tombée au milieu des autres passagers, le train s'est déjà arrêté, l'homme n'est déjà plus là, était-il seulement là, les autres feuillettent tranquillement leur journal, ils regardent par la fenêtre les murs qui défilent… Alors pourquoi Alix est-elle par terre ? Pourquoi pleure-t-elle du sang ? Et moi je n'ai pas pu…

— Alix…

— N'en parlons plus.

— Si… Je voudrais que tu comprennes. Tu n'aurais pas dû…

— Ça ne fait rien, c'est fini maintenant. Tu n'as pas à me remercier.

— Je ne te remercie pas… Je crois que je t'en veux.

— Ah ! bon. Tu m'en veux.

— Oui, je t'en veux… parce que, vois-tu… c'était à moi… C'est moi qui devais le faire. J'en avais besoin.

— Tu ne pouvais pas bouger. Tu étais pétrifiée. Je t'ai vue. J'ai vu rouge. Je ne savais plus ce que je faisais.

— Mais… Oui, mais… tu m'as empêchée de le faire, *moi*. Il aurait fallu que ce soit moi. Sinon, je ne m'en sortirai jamais. Tu ne vois pas ?

— Si… Je vois, oui. Omaya. Je suis navrée. Navrée.

Je l'aimais tant. Je lui ai dit : Je ne te tromperai jamais qu'avec ma maladie, le sais-tu ? Et elle a répondu : Oui, je le sais. Je lui ai dit : Je t'aime de toutes mes forces… et de toutes mes faiblesses, le sais-tu ? Et elle a répondu : Oui, je le sais. Et puis ce sont les faiblesses qui ont gagné, et je ne l'aimais plus que parce qu'elle était forte, et plus elle était forte plus j'étais faible, et elle ne m'aimait plus…

Chère Omaya. J'ai enfoncé ma cigarette dans tous les O. Chaque fois qu'elle avait dessiné mon initiale : un trou brûlé. Les lettres criblées de trous. Les lettres brûlées. Conflagration ! Une femme écrivain et un homme écrivain échangent des lettres d'amour. Elle garde ses lettres précieusement, elle lui écrit : Garde mes lettres, toi aussi. Il lui répond : Je dois brûler tes lettres parce que ma compagne du moment pourrait les découvrir et s'en attrister, mais tu seras toujours mon unique et véritable grand amour, tu le sais bien, nous ne faisons qu'un. Quarante ans plus tard, l'homme écrivain est mort, la femme écrivain publie les lettres d'amour qu'elle avait reçues de lui et elle déclare au monde : Regardez comme il m'aimait d'amour vrai, il le disait à chaque page, moi aussi je l'avais dit, dans les lettres calcinées, que je l'aimais d'amour vrai…

La lettre O brûlée. Les lettres parties en fumée. Alix partie aussi, et puis le printemps arrivé. L'insupportable printemps. Chants d'oiseau, éclats de rire, musiques à l'air libre. Tous les sons me parvenaient à travers une boîte de verre : mutés, matés, dissous. Les êtres me paraissaient difformes et flous, infiniment lointains. Je craignais à chaque instant de casser la boîte de verre, me déchirer les mains sur les éclats. Et en même temps, cette boîte était mon véhicule personnalisé, quatre vitres qui m'entouraient dès que je sortais dans la rue : j'étais protégée mais coupée. Définitivement coupée.

— Et c'est à ce moment qu'ont commencé les histoires de rasoirs et de couteaux ?

— C'était avant. Seulement, avant, j'arrivais à les contrôler.

— Et dans la boîte de verre ?

— Elle était là pour m'empêcher de faire des gestes inconsidérés. Tout au ralenti. Sinon…

— D'où l'impossibilité de conduire une voiture.

— Hors de question. Tout au ralenti… Même les transports en commun m'étaient interdits.

— Parce que vous risquiez d'être touchée ?

— De casser la boîte.

— Alors vous ne vous déplaciez plus qu'à pied ?

— A pied. Et encore.

Il y a un bus qui part de l'université et qui va vers le centre-ville. Omaya y monte mais le bus change d'itinéraire en cours de route, il traverse des quartiers inconnus, grouillants de gens lugubres, il passe devant une gare et Omaya descend à la hâte, elle parvient à se repérer sur le plan de la ville mais prend ensuite le mauvais train, ce n'est pas l'omnibus mais l'express et ça ne s'arrêtera pas avant la banlieue… Arrivée au bout de la ligne, elle voudrait changer de rame mais l'escalier est bloqué par des travaux, elle décide de traverser les rails tout en se disant qu'ils doivent être électrifiés, elle saute précautionneusement sur le sol entre les rails, puis elle entend le train… Klaxon ! Elle

se réveille, il ne faut pas dormir, un instant de distraction suffit pour m'égarer irrémédiablement,
pour m'éloigner à tout jamais de ma famille, de
mes amis, de tout ce que je connais et reconnais,
j'erre dans l'infinie complexité de la ville, montant dans n'importe quel bus pour demander si par
hasard il ne va pas vers quelque destination dont
le nom me serait familier, mais ils vont toujours
vers la périphérie et non vers le centre-ville, et je
finis par... Non, je ne finis pas, ça n'en finit jamais,
c'est toujours à recommencer, il faut chaque fois
reprendre depuis le début...

— Vous êtes toute seule ? On peut vous offrir
un verre ? Que faites-vous par ce temps abominable dans ce quartier sordide ?
— Je viens de quitter le Château, je voudrais
aller au centre-ville.
— Il est tard, il n'y a plus de bus à cette heure-ci.
— Oui, je sais. Je pensais appeler une amie
pour lui dire de venir me chercher en voiture...
— On peut vous conduire chez elle, si vous
voulez.
— C'est gentil. Non, merci. Ne vous dérangez
pas.

La voiture démarre, brûle un feu rouge, et
tourne à droite. Nous roulons à une vitesse invraisemblable. A droite. Feu rouge brûlé. Ne vous en

faites pas. Il n'y a personne dans la rue à cette heure-ci. Accélérateur. Un stop, passage clouté. Les freins qui miaulent. Une vieille. J'ai failli l'avoir, celle-là. Qu'est-ce qu'elle fout dehors à une heure pareille ? Virage à gauche. La femme en blanc serrée entre deux hommes en noir. Son bras gauche contre un bras droit. Son bras droit contre un bras gauche. Virage. Contact. Vertige. Les phares en face, rendus fantomatiques par la pluie. Klaxon. *Achtung !* Mais vous n'avez rien à craindre. Je sais conduire. Vous savez conduire, vous ? Je connais ce quartier comme ma poche. Virage à droite. Voilà le café, justement.

Le café est désert. Ils ont les clefs. Il est tard. Les bus ne roulent plus. Il est trop tard. Les néons s'allument.

Anastasia, je ne peux pas. Je sais qu'il le faut mais je ne peux pas. Même avec vous à mes côtés sur le banc. Même avec votre savoir pour me soutenir. Comment faites-vous pour être si solide ? Pour retenir dans votre tête les mots, les phrases, les textes de loi, les précédents ? Je sais bien que je peux compter sur vous, c'est Omaya qui risque de me faire faux bond…

Anastasia, elle, sait naviguer dans le monde. Elle a du savoir, de l'argent, des certitudes. Elle viendra en taxi. L'autre avocate aussi. Deux femmes en noir, chacune dans son taxi et chacune dans son droit. Elles se les arrogent, leurs droits. Une main en l'air : Taxi ! d'une voix impérieuse. Et le taxi est là, à leur disposition. Elles montent sur le siège arrière, princesses qui donnent des ordres à leur cocher, et on leur obéit. Le chauffeur va exactement où elles lui disent d'aller. Elles ont de l'argent dans leur sac, et c'est de l'argent qu'elles ont gagné elles-mêmes. Quoi d'autre dans le sac ? Stylos, codes, carnets et circulaires, certainement pas de maquillage. Leurs visages sont la franchise même. La vérité sans fard. Un point, c'est tout.

Quand Lorna écrivait : un point c'est tout, c'est très précisément cela qu'elle voulait dire. Elle pouvait rester la matinée entière sur son lit, stylo en main, carnet appuyé sur les genoux relevés, perdue dans la contemplation d'une imperfection sur la page. Pour elle, un point, c'était *tout* : ça remplissait ses horizons, ça renfermait des secrets qu'elle s'épuisait à déchiffrer. Dès qu'elle parvenait à écrire un mot, elle se lamentait d'avoir tué tous les autres mots avec lesquels elle aurait pu commencer son poème. C'est pourquoi ses poèmes étaient si courts : elle voulait tuer le moins de mots possible.

Tout lui faisait peur. Au début, elle a refusé de me parler et même de me regarder. Mais quand elle eut compris que je n'allais pas la bousculer, que je respectais son immobilité et son mutisme, elle a essayé de voir qui j'étais. D'abord elle se contentait de m'épier en cachette, quand elle pensait que je m'étais endormie. Plus tard, elle venait s'asseoir au bord du lit où j'étais en train de fumer, et elle me scrutait d'un air anxieux. Je la laissais faire. Tant qu'on ne me touchait pas, j'étais indifférente. Elle chuchotait :

— Tu es Omaya ?

— Oui.

— Je vois…

Après un long silence, elle reprenait :

— Tu es Omaya ? Une seule personne ?

— C'est ça. Je suis toute Omaya. Omaya, c'est tout moi.

— Alors pourquoi tes yeux ne sont-ils pas d'accord avec ta bouche ?

— Rien n'est d'accord avec rien.

Lorna ne parvenait pas à contempler tout mon visage en même temps. Son regard se rivait tantôt sur le haut et tantôt sur le bas. Elle croyait déceler des messages contradictoires ici et là et, malgré ses efforts, elle n'arrivait pas à réconcilier les deux.

— Laisse tomber, Lorna.

— Tout le monde.

— Quoi, tout le monde ?

— Laisse tomber Lorna.

Les gens sans clef s'apitoient facilement sur leur sort. J'ai soixante-cinq ans, je vais bientôt crever. C'est pourquoi ils sont incapables de s'apitoyer sur le sort des autres. Moi aussi. Je m'installais derrière mon rideau de fumée et je la laissais seule et silencieuse de l'autre côté.

L'inévitable horde de jeunes garçons. L'air du wagon chamboulé par leurs voix qui se chamaillent. Les filles en groupe, c'est différent mais aussi haïssable, c'est le fou rire. Elles chuchotent, se chatouillent les oreilles, poussent des gloussements en crescendo, leurs rires factices aigus font grincer chaque vertèbre de la colonne dorsale. Mais là, ce sont de grosses voix arrogantes et creuses.

— Tu crois que c'est le ski le sport le plus dur ? C'est rien, le ski, on se laisse aller et c'est tout.

— Oui, mais il suffit de faire un faux mouvement, on peut clamser en une seconde.

— Oui, mais quand même, c'est pas dur du tout, il a raison, c'est pas fatigant. Moi, je crois que c'est la lutte qui est la plus dure.

— Tu parles, la lutte, c'est de la frime, tout le monde sait ça. Les courses automobiles, c'est bien plus dangereux. On a plus de chances d'y laisser la peau.

— Mon père, il joue au tennis tous les dimanches, c'est complètement crevant, mine de rien, à la fin d'une tournée il est lessivé.

— Alors ton père, ça doit être une petite nature. Le mien, il joue au tennis comme il se rase le matin. Peinard.

— Tout dépend de ce qu'on veut dire par dur, si ça veut dire dangereux, ou fatigant, ou difficile. Mon père, il m'apprend à jouer aux échecs en ce moment, je t'assure que c'est dur au sens de difficile, comparé à tous les autres sports…

— C'est pas un sport, les échecs, on parlait de sports !

— Oui, mais il y a des sports où il faut être intelligent aussi, par exemple…

— Si les échecs c'est pas un sport, pourquoi il y a des échecs aux Jeux olympiques ? Hein ? Tu peux me le dire ?

— Les sports d'équipe c'est très, très dur aussi, personne n'en parle, au foot on peut se faire écrabouiller comme une punaise.

— Et l'alpinisme ? T'as déjà essayé de grimper avec une corde sur une falaise à pic ? Et en bas, c'est l'abîme qui t'attend la gueule ouverte ? J'ai fait ça, moi, l'été dernier…

— Ah ! tu te vantes. C'est pas plus dangereux que d'être acrobate dans un cirque.

— Tu parles ! Les acrobates, ils ont un filet en dessous.

— Pas toujours. Moi j'en ai vu un, une fois, qui est tombé et qui s'est cassé la pipe.

— Où ça ?

— Il y a longtemps…

— Menteur, t'as rien vu du tout. T'étais tellement moche que ta mère voulait même pas t'emmener au cirque, elle avait peur qu'on te prenne pour un clown.

— Et toi, c'est ta mère qui ressemble à un clown.

— Qu'est-ce que tu dis ?

— Il a rien dit, il a éternué, c'est tout, il faut l'excuser, c'est un petit morveux.

— A tes souhaits, alors.

— On descend là ?

— Ecoute-le, il prétend qu'il a voyagé par monts et par vaux et il peut même pas trouver son chemin dans le métro. Avec un plan sous les yeux en plus. Regarde le plan, mon petit, ça t'occupera jusqu'à la prochaine station et ensuite tu prendras gentiment la main de la maîtresse pour ne pas te paumer.

— Arrête ton char.

Arrêtez ! Si seulement ils s'arrêtaient quelques secondes pour que je puisse me ressaisir. Mais ils parlent à toute allure, ils se coupent la parole, ils enchaînent sur un mot, sur une association d'idées, et je n'arrive pas à suivre, ni à ne pas suivre, leurs mots m'entourent, me soûlent, me donnent le vertige. Pourtant je n'ai bu qu'un seul verre alors qu'eux buvaient depuis des heures, pourquoi est-ce que la tête me tourne, alors ? Ah ! oui, mon Dieu, ça doit être l'enivrement des fleurs, j'ai oublié les fleurs de ce matin et puis j'ai bu…

Le plateau personnalisé, au moment du petit déjeuner. Palette de peintre. Pilules pastel. Rose, vert, blanc, jaune, bleu pâle : bouquet de fleurs pour Omaya. Les plus belles ont des noms en *-ium* ou en *-yne*. Qui m'a envoyé ce magnifique bouquet ? Liliums, glycines. Alstroemeria, Heliconia, euphorbe. Et les roses roses qui éclosent si vite, les roses roses qui explosent, leurs pétales qui retombent en flottant tout doucement… C'est un mariage, on jette des pétales de rose par poignées à la tête de la mariée, c'est un mariage, on jette des grains de riz par poignées à la tête de la mariée, c'est un mariage, on jette des pierres à la tête de la mariée, elle a trompé son mari, elle doit mourir, je ne te tromperai jamais qu'avec ma maladie, maintenant c'est fait, Alix, j'aime ma maladie plus que toi, au moins me tient-elle compagnie, au moins reste-t-elle toujours à mes côtés alors que toi, tu tiens à ton autonomie, tu vas et tu viens à ta guise, tu n'as pas voulu que nous habitions complètement ensemble et maintenant c'est trop tard, c'est ta rivale qui s'est installée chez moi, et grâce à elle on m'apporte chaque matin des fleurs multicolores, je n'ai qu'à les avaler et à attendre la douce explosion des pétales : Ah ! ce que c'est beau.

Une femme écrivain est morte très jeune, et à la fin de sa maladie, avant d'être bâillonnée une fois pour toutes, elle a crié : La rose ! – ROSE AU CŒUR VIOLET – et autour d'elle les hommes se sont félicités, il était en effet approprié qu'elle meure pour de vrai, celle qui avait si bien compris le lien – CŒUR VIOLÉ OSA TUER – entre l'amour et la mort. Quant à eux, ils ont vécu de longues années encore, années qu'ils ont passées à écrire et à prêcher l'amour la mort et à brandir comme preuve la mort l'amour de cette jeune femme qui, plus jeune encore, avait vécu avec un homme qui lui mettait un collier de chien autour du cou – COU OUVERT SERA LOI –, la tenait en laisse et lui donnait à manger des sandwichs beurrés de sa merde…

Je n'ai pas faim, je n'aurai plus jamais faim, et les chiens n'ont rien à faire ici, c'est interdit dans le métro, même un caniche dans un panier en osier, on n'a pas le droit, on ne sait jamais, un caniche peut jaillir de son panier et vous mordre, vous donner la rage. Je suis sûre que Mme le président a un caniche, et qu'elle lui achète des tricots en laine d'angora très chers, et qu'elle l'a promené ce matin en lui parlant comme une mère parle à son enfant dans la boulangerie, ne touche pas ci, pourquoi as-tu fait ça, d'une voix excédée et sans réplique. Son caniche en est devenu méchant, il jappe du matin au soir, il enfonce ses crocs pointus dans les chevilles des passants, seulement il n'y a presque pas de passants puisque Mme le président habite une maison isolée, loin de la ville, une maison entourée de hautes murailles sur lesquelles elle a fait poser des tessons de bouteille pour se protéger des voleurs, elle ne promène jamais le caniche à l'extérieur des murs, elle lui fait faire ses besoins au pied des arbustes, ici et pas ailleurs, maintenant et pas plus tard. Les jours où elle doit venir en ville pour juger, elle laisse le chien dans le jardin attaché avec une laisse douze heures d'affilée. Elle conduit sa voiture jusqu'à la gare, achète un billet de première classe : Mme le président viendra en train.

Le jour commence à poindre, elle est seule dans son compartiment, elle regarde par la fenêtre mais elle ne voit rien du paysage, elle ne voit que le reflet de sa propre tête, depuis l'enfance elle se regarde ainsi dans la vitre chaque fois qu'elle prend le train, mais avec de moins en moins de plaisir, aujourd'hui elle tente de retrouver les traits de son visage adolescent, la peau lisse, les lèvres pleines, les yeux qu'elle aimait plus que tout au monde, elle plongeait son regard dans ses propres yeux en se disant qu'aucun homme jamais ne résisterait à cela, maintenant elle voit entre les yeux deux sillons permanents, creusés à force de froncer les sourcils, c'est injuste que les années de travail vous marquent ainsi, laissant derrière elles des traces indélébiles, c'est injuste, c'est injuste, les jeunes femmes de nos jours n'ont pas idée de ce qu'est le vrai travail, c'est nous qui leur avons ouvert toutes les portes à la sueur de notre front, il fallait être forte, tenace, têtue, on l'a été, et voilà qu'elles pleurnichent comme des bébés, qu'elles geignent et qu'elles se plaignent de ce que la vie n'est pas facile. Jamais elles n'ont connu la faim ni la nécessité, c'est pourquoi elles sont si avachies et si gâtées, elles sont pourries jusqu'à la moelle, elles s'imaginent que se libérer, ça veut dire prendre de la drogue, boire, danser, faire l'amour tous azimuts et tuer dans l'œuf l'enfant qui en résulte, elles n'ont aucun sens de la discipline, de la hiérarchie, de la droiture.

Levez la jambe droite : un, deux, trois, quatre. Baissez la jambe : un, deux, trois, quatre. Restez dans le rythme. Gardez le bas du dos bien plaqué contre le sol. La jambe gauche maintenant. Levez : un, deux, trois, quatre. Baissez : un, deux, trois, quatre. Mettez-vous assises. Pas n'importe comment, Omaya. *Gracieusement.* Même les mouvements de transition doivent être élégants. Recommencez. Vous gardez les talons au sol, vous serrez les abdominaux et vous décollez : d'abord la tête, ensuite la nuque, et puis la colonne dorsale, vertèbre par vertèbre. Voilà, ça va mieux. Maintenant, tout le monde : écartez les jambes et, sans plier les genoux, attrapez des deux mains le pied gauche. Penchez-vous en avant jusqu'à ce que le front se pose sur le genou. Restez là. Expirez. Inspirez. Expirez. Inspirez.

Leurs halètements.
— Tiens bien les bras. Les jambes, je m'en occupe.

La gymnastique, c'est à cause de ma maladresse. Cybèle se plaint de ce que je fais sans cesse des gestes malencontreux : me cogner aux meubles, renverser des verres… Tu as dû grandir trop vite, dit-elle, tu ne maîtrises pas encore ton nouveau corps, ton corps de jeune fille, il faut prendre bien soin du corps car c'est le havre de l'esprit. Ton esprit, ça va, dit-elle, tes études le rendront fort et souple, mais le corps doit lui aussi être soumis à une discipline, le ballet par exemple mais elle déteste les ballerines, elle dit qu'elles ont de petites têtes avec de la guimauve dedans, alors que la gymnastique, voilà une discipline franche et saine, elle-même fait dix minutes de yoga chaque matin avant de s'habiller, avant de ramasser en chignon ses cheveux flous et mordorés, je la regarde, elle a le front posé sur le genou, ses cheveux rayonnent tout autour comme un soleil, elle est si belle…

— Pourtant, vous nous aviez dit que Cybèle attribuait la maladresse d'Omaya à la longueur excessive de sa frange.

— Je vais me raser le crâne. Comme ça, tu n'auras plus à me couper les cheveux.

Elle a éclaté de rire, elle ne m'a pas crue. Je me suis emparée des ciseaux. Du rasoir. La lame de rasoir qui se met à taillader. Avant d'effectuer l'incision, il est souhaitable que la tête du sujet soit parfaitement rasée. Question d'hygiène. A la base du crâne, la cicatrice va d'une oreille à l'autre comme un grand sourire béat. Ou est-ce au front ?

Omaya n'arrive pas à poser le front sur le genou. Elle regarde ses pieds, il y a un trou dans le collant, le gros orteil comme d'habitude, c'est un collant presque neuf, impossible de le repriser parce qu'il est en tissu synthétique et non en laine, je suis la seule à venir chaque semaine en cours avec un collant percé, les trous me tracassent, me trahissent. Si, dans un moment d'aise, je m'étire en croisant les mains derrière la nuque, on me fera remarquer que là, sous le bras droit, il y a une déchirure dans mon chandail… Ou bien ce sera un fil qui pend de l'ourlet de ma jupe, ou un bouton qui s'est perdu, sans parler des bas qui filent, des colliers qui s'emmêlent, des manches de chemises qui s'éliment, des talons qui se cassent, et comment font les autres filles pour être impeccables, ce sont leurs mères qui s'en occupent avant de les laisser partir pour l'école, Cybèle ne pense jamais à ces choses-là, elle-même est impeccable par nature, reluisante comme les machines avec lesquelles elle passe le plus clair de son temps, comment veut-elle que je devienne actrice si je ne présente pas bien, on ne peut pas se pointer aux auditions habillée comme je le suis, il faudrait tout reprendre de zéro, m'acheter une nouvelle garde-robe, les vêtements sont toujours beaux quand on les voit au magasin, quand je les revêts pour la première fois dans la cabine d'essayage ils sont encore beaux et ils me communiquent leur beauté, je me regarde émerveillée, mais une fois achetés ils s'altèrent peu à peu, ils se déforment, se décolorent, c'est moi qui leur transmets mes tares intimes… Contamination ! Au bout de quelques mois ils me ressemblent, me font horreur, je ne peux plus me regarder dans la glace. Ce qu'il y a de mieux, c'est d'emprunter les habits d'une Amie, de porter pendant une seule soirée la robe, l'écharpe, le chemisier d'une autre femme, je revêts en même temps que sa robe sa personnalité et je me sens plus libre, j'ai le droit de parler et de manger comme je m'imagine qu'elle l'aurait fait. Alix, elle, n'aimait pas me prêter ses habits, elle n'a jamais voulu les accrocher à côté des miens dans le placard, elle avait seulement une valise avec quelques affaires qu'elle cachait sous le lit et elle ne voulait pas que j'y touche… Contamination ! Le mieux, c'est encore les costumes de théâtre, ce n'est ni à moi ni à personne, c'est à une femme imaginaire, elle ne peut pas m'en vouloir d'avoir gauchi ses affaires, elle me prête ses gestes, ses pensées, ses souvenirs, elle m'habille le dedans et le dehors, elle permet que je lui emprunte tout sans se sentir dépossédée, elle m'accepte, nous vivons complètement ensemble, je la regarde dans la glace, je lui souris, elle me sourit, elle me souffle mes répliques, elle met de l'ordre dans ma tête et dans mon corps. Elle est multiple. Toutes les femmes que j'ai jouées, je les ai adorées… peut-être même plus que les Amies.

— Et qu'êtes-vous en train de jouer en ce moment ?

— Je joue Sincérité, c'est le plus difficile de tous les rôles.

— Vous n'êtes pas tout à fait convaincante.

— C'est parce que Sincérité, je ne l'ai jamais rencontrée. Son texte n'a pas encore été écrit.

— Elle joue la comédie. Arrête de crier, ou on te donnera des raisons de crier.

— Le monde, quoi qu'en puissent dire certains, n'est tout de même pas une scène. La vie, ce n'est pas un jeu de rôle.

— Quand je m'arrête de jouer, je ne suis plus personne. Je ne suis plus rien d'autre que la peur.

Mots géants noirs entrecoupés de plis – PEUR – MARI – ELLE ACCEPTE – AU PATRON ! La femme qui lit cela est jeune, elle travaille dans un bureau, elle a les ongles coupés court pour l'IBM mais fraîchement vernis, elle s'est maquillée avec soin ce matin, comme tous les matins toutes les femmes, regarde, toutes, toutes sauf Omaya, elles se sont levées tôt afin de se travailler la carcasse, épiler, colorer, décolorer, rajouter, retrancher, se trancher le cou, colmater les brèches, empêcher l'épanchement des liquides, couvrir les odeurs

116

fétides avec des parfums entêtants, mais Omaya les sent, en dépit des eaux de toilette, des eaux de Cologne, des eaux de rose, Omaya sent les effluves nauséabonds qui filtrent de l'aine et de l'aisselle, montant insistants, incoercibles, dénonçant ces femmes pour ce qu'elles sont : de la chair en putrescence.

Celle-ci porte des lunettes mais elle espère qu'un homme remarquera, derrière les baies vitrées, les paupières décorées de bleu fumée au saut du lit à six heures du matin. Les yeux à peine ouverts, ils sont badigeonnés de séduction pour les heures à venir, et peut-être, après le petit déjeuner avalé seule à la cuisine, après la fadeur du métro rehaussé par des histoires véridiques salées, après la première heure passée devant les touches lettrées, la tête encore bourdonnante de PEUR – MARI – ELLE ACCEPTE – AU PATRON, au moment d'aller chercher son café à la machine, ou bien pendant le déjeuner à la cantine, un homme verra que ses paupières, au lieu d'être bêtement blanc nature, sont bleu fumée, et appréciera le contraste subtil entre le teint de ses paupières et celui des iris en dessous, et s'étonnera d'une si éclatante preuve de bon goût dans un endroit où l'on s'y attendrait le moins, et de fil en aiguille cette femme n'avalera plus le petit déjeuner toute seule. Où que je pose les yeux, c'est la même chose : ces fausses perles sur de vieilles oreilles velues, ces taches violentes de rose bonbon sur des joues cendreuses, ces bâtons de mascara dans les sacs des bonnes Epouses, et

117

toutes elles se disent que de fil en aiguille et de fil en aiguille…

— Quand avez-vous cessé de vous soucier de votre féminité ?

— Plus de glaces… sinon au Théâtre.

— Au Théâtre, là où le visage reflété n'est pas le vôtre mais celui d'une autre femme, votre personnage ?

— Plus de maquillage autorisé, sauf pour les êtres qui empruntent mon corps pour jouer à la femme.

— Puisque aussi bien, hors scène, vous n'êtes pas une femme ? Vous êtes quoi, alors ?

— …

— Comment avez-vous mérité cette punition ?

— C'est Cybèle qui m'a punie d'avoir volé le bâton de rouge.

— Mais encore ?

— C'est Alix qui m'a punie de m'être regardée pendant des années dans la glace.

— Ce sont les autres qui vous punissent, alors ?

Alix oh Alix, je ne veux pas te perdre, je t'aime je n'aime que toi, mais Saroyan, le lit de Saroyan, pour la première fois ça n'a rien à voir avec une punition – si, c'est possible, je t'en supplie, écoute-moi, ne me coupe pas, ne fais pas cette moue, écoute – il entre en moi et puis il ne bouge pas, il est là et je le sens et je

118

m'arc-boute contre lui, il désire que je désire, il n'essaie pas de me mater, me clouer, m'étouffer, il m'aime vivante et c'est la première fois qu'un homme, tu ne peux pas m'en vouloir de cet émoi, tu ne peux pas, toi qui m'aimes vivante aussi, tu sais que c'est toi que j'aime mais laisse-moi ça, je t'en supplie, tu dois comprendre à quel point ça me rassure...

Et de fil en aiguille, Omaya s'est retrouvée toute seule pour avaler son petit déjeuner, ou pour ne rien avaler du tout, ou pour avaler seulement le bouquet de fleurs et laisser son petit déjeuner sur le plateau, bol d'eau tiède accompagné d'un sachet de café en poudre, un sachet de sucre en poudre, un sachet de lait en poudre, un petit pain, une motte de beurre, une cuillerée de gelée de fruits. De fil en aiguille.

— Pouvez-vous nous dire le sens précis des expressions suivantes : de fil en aiguille, perdre les pédales, être dans de beaux draps, laver son linge sale en public, ne pas perdre le nord, une chatte n'y retrouverait pas ses petits, il n'y a pas de fumée sans feu ? Ayez l'obligeance de répondre aussi succinctement et aussi clairement que possible. Etes-vous prête ? Allez-y. Numéro un. Que signifie l'expression : de fil en aiguille ?

— Ça veut dire que quand vous faites de la couture, il ne faut pas laisser échapper le fil de vos idées, il faut vous concentrer, faire quelque chose avec les mains est excellent pour la concentration, ici les femmes tricotent ensemble dans une même salle, elles jacassent tout en tricotant et ça me fait sortir de mon cercle concentrique, je perds le fil, l'aiguille me traverse la paume de la main, j'ai des stigmates… Non, ce n'est pas la paume, c'est le poignet, ou bien c'est l'intérieur du coude, l'aiguille pénètre sous la peau et éjecte son liquide, ça va vous calmer, on va t'apprendre à te tenir tranquille et à ne pas crier.

— Bien. Maintenant, regardez ces taches d'encre, à quoi vous font-elles penser ?

— C'est un bateau qui fait naufrage, c'est un hibou qui fond sur une lapine, c'est trop facile, vos examens, je connais les réponses avant même d'entendre les questions, j'ai l'habitude, après Cybèle ce n'est pas à coups de tache d'encre que vous m'aurez.

— Et si l'on mettait de l'encre *dans* l'aiguille ? Et si l'aiguille pénétrait sous la peau, éjectant son liquide, cela s'appellerait dès lors… ?

— Le tatouage. Ou si vous préférez : le roman d'amour.

— Bien. Alors, expliquez-nous ceci. Maître, je vais vous demander de tenir la pointe de cette aiguille entre l'index et le pouce. Voilà, comme ça. Maintenant, je vais tenter de passer ce fil par le chas de l'aiguille, et vous allez tout faire pour m'en empêcher. Un, deux, trois… raté. Un, deux, trois… encore raté. Vous voyez ? Il n'y a rien à faire : si l'aiguille bouge, le fil est impuissant. Démonstration faite. Démonstration concluante.

Si l'on retient le fil de la main gauche, il ne s'emmêlera pas pendant qu'on tire l'aiguille avec la main droite. Travaillez toujours de gauche à droite, avec une lumière derrière l'épaule gauche, de manière que l'ombre de la main droite ne soit pas projetée sur la partie de l'ourlet que vous êtes en train de coudre. Le dessin formé par le fil est une série de x minuscules : xxxxxxxxxxx, comme pour corriger les fautes de frappe, avec cette différence qu'ici la correction n'est pas possible, le travail doit être parfait la première fois, il ne faut jamais attraper plus d'un seul fil du tissu avec l'aiguille, si l'aiguille traverse le tissu ce sera visible de l'autre côté et tout le monde saura que vous avez fait un ourlet, au lieu de penser que votre robe est née ainsi, lisse et impeccable, souvenez-vous bien de cela, que le seul travail de couture valable est le travail invisible. Si, dans un instant de distraction, vous permettiez que l'aiguille traverse le tissu, perce la membrane, ce serait irréparable. De nos jours on ne sait plus recoudre ce genre de déchirure, toute tentative pour y remédier serait vouée à l'échec, la robe serait invendable, aucun homme ne l'admirerait jamais, souvenez-vous bien de cela, qu'une jeune fille doit toujours rester lisse et impeccable, votre vie même en dépend.

Arrête ! Arrête de toujours déraper, ce n'est pas le moment de perdre le fil, il faut se concentrer… Mais je n'ai plus accès à la Salle de concentration, ses couleurs et son ambiance jardin d'enfants me sont interdites. Tant mieux… Omaya trouvait intolérable cette partie du Château où se parodiait la ville. Les femmes sans clef s'y assemblaient pour apprendre à se concentrer, elles remplissaient par exemple de petits sacs de bonbons multicolores, toutes elles agitaient leurs petits doigts, penchaient leurs petites têtes, mimaient avec une application dérisoire les ouvrières dans une usine, et les femmes à clef applaudissaient : Bravo ! Vous avez rempli vingt-six petits sacs de bonbons aujourd'hui ! Et les femmes sans clef rougissaient de plaisir et balbutiaient merci quand, à la fin du mois, elles touchaient leur salaire minable. Cet argent, elles pouvaient ou bien le dilapider en allant tous les jours au bar se payer un vrai café, ou bien le mettre de côté et s'offrir un corsage pour le bal mixte qui se tiendrait à la fin décembre, bal qui durerait de deux heures à cinq heures de l'après-midi, après quoi il faudrait ranger la salle à manger pour le repas du soir. Les bals, c'est une discipline franche et saine, ça vous fait sortir de votre moi et rencontrer les autres. Ainsi les femmes de la Salle de concentration travaillent jour après jour en vue de leurs amours à venir, comme les jeunes filles d'antan brodant leur trousseau et rêvassant au prince charmant, il ne faut pas rêvasser, il suffit d'un instant de distraction pour que l'aiguille traverse la membrane, elles se piquaient le doigt et elles s'endormaient pendant cent ans… Puis Omaya un jour, n'y tenant plus dans ce conte de fées, plongeant les mains dans le bac rempli de bonbons multicolores, lançant une pluie de confettis sur la tête des jeunes mariées, une grêle de cailloux sur la tête des jeunes mariées : Réjouissez-vous ! Répandez-vous en larmes de joie multicolores ! Les douceurs ne doivent pas être mises en boîte, elles doivent gicler, éclabousser les murs…

— Et ensuite ?
— Alerte, alarme sur les visages. Et peu après : piqûre.

— On me dit que tu as fait une scène l'autre jour… Qu'on a dû intervenir pour te calmer.
— C'est parce que c'est parfois trop calme ici.
— Mais il ne tient qu'à toi de partir, Omaya. Pourquoi restes-tu ici, si tu trouves que c'est trop calme ?
— …
— Sérieusement, ma chérie… J'avoue que cette histoire m'a perturbée. Pour la première fois je me suis dit…
— C'était pour faire la fête. C'était comme des confettis.
— Mon Dieu… Je crois entendre ton père.
— Ah oui ? Parce que lui aussi, il aime l'éclaboussement des douceurs bariolées ?

— Omaya, arrête ! Pourquoi parles-tu comme ça ? Tu me fais peur… Quelque chose a déraillé…

— Oui, Cybèle. Déraillé. Comme tu dis.

Il faut rester sur les rails. Ne jamais dévier du droit chemin. Ne pas suivre le Hibou, qui s'aventure trop loin des sentiers battus. Si on accepte de l'accompagner dans la forêt la nuit, il faut en accepter les conséquences. L'épine qui traverse le soulier et s'enfonce dans le talon. La douleur lancinante : coup de foudre qui monte au lieu de descendre, embrasant tout le cerveau. Omaya hurle. Le Hibou se retourne : Qu'y a-t-il ? Omaya effondrée au pied de l'arbre. Il la hisse sur les épaules et la ramène à la maison. L'épine a disparu sous la surface de la peau, déclenchant des pulsations, des vagues incandescentes. Le talon a déjà commencé à enfler.

— Attends, mon chou.

Le Hibou met de l'eau à chauffer sur le feu de la cuisinière. Il me regarde. Il voit les mains d'Omaya agrippées au bord de sa chaise, il voit ses lèvres contorsionnées. Il revient vers moi avec une bassine remplie d'eau. L'eau est bouillante.

— Il va falloir que tu mettes le pied dedans et que tu l'y tiennes. Tu le feras pour moi ? Ça va te faire très mal mais c'est pour ton bien. Sans ça, je n'arriverai pas à retirer l'épine. Tu me fais confiance ? Viens, Omaya. Viens, mon chou.

Le train s'est arrêté. Que se passe-t-il ? Nous sommes entre deux stations et nous n'avançons plus, les lumières baissent, la tension monte, les autres passagers cessent leur bavardage... Dans le silence ils s'interrogent : une bombe qu'on aurait posée sur les rails ? un malaise du conducteur ? un suicide ? Le wagon est bondé, tant qu'on avançait cette promiscuité était supportable, maintenant elle ne l'est plus, l'angoisse se lit dans tous les yeux... Mais non, ce n'est que dans les yeux d'Omaya, les autres sont seulement impatients, ils regardent leur montre, ils tapent du pied, ils poussent des soupirs énervés. C'est ça, la réaction normale. Il n'y a aucun danger, aucun problème, le train redémarrera d'un instant à l'autre...

— Aujourd'hui, improvisation : Omaya et Saroyan. Omaya, vous êtes une jeune femme, vous attendez le métro tard le soir, vous êtes seule sur le quai, il est minuit passé, le train ne vient pas, par contre arrive un jeune homme, c'est vous, Saroyan, vous apercevez la femme tout au bout du quai, vous vous approchez d'elle, qu'est-ce qui se passe ensuite, est-ce que vous vous parlez, est-ce que vous vous empoignez, c'est à vous de voir en fonction de la vérité intérieure de vos personnages. Allez-y.

Le quai est sale. Omaya crée la saleté, elle la suscite autour d'elle, elle fait exister les détritus, les papiers gras, l'odeur d'urine, elle se remémore la soirée de propos poisseux que vient de vivre cette jeune femme, elle sent son corps perclus par la fatigue et l'abattement. Peu à peu, elle invoque le tunnel, le long trou noir et silencieux, elle écoute de toutes ses forces mais aucun bruit ne lui parvient de cet abîme, elle regarde de toutes ses forces mais aucune lueur n'en émane, la noirceur et le silence du tunnel sont comme intrinsèques, définitifs, j'ai passé ma vie à attendre le métro, à scruter des tunnels que rien ne vient jamais combler, il est inconcevable que de là surgisse mon salut, le train qui me rapprocherait de ma maison et de l'oubli.

Omaya n'attend pas, elle guette. C'est le tunnel qui attend passivement d'être rempli par le train, Omaya travaille activement à le faire apparaître, elle le souhaite de toutes ses forces, elle lance sa volonté contre le vide et elle échoue, sa volonté s'écrase contre le sol dans le noir sans faire de bruit… Et soudain, derrière elle, au-dessus d'elle : un homme.

— Pardon… Vous attendez le train depuis long-temps ?

Elle se retourne, elle n'hésite pas, elle se jette sur l'inconnu et le pousse de toutes ses forces sur les rails, elle sait que ça marchera, dans tous les westerns il suffit qu'une personne soit ligotée aux rails pour faire surgir le train, maintenant le métro va venir, ça ne fait pas le moindre doute… Et Saroyan par terre estomaqué, et les autres acteurs et le metteur en scène pantois, et Omaya triomphante et fière d'avoir pour une fois osé, pour une fois su se défendre… Mais non, elle s'est trompée, sa réaction a été disproportionnée, son instinct d'actrice l'a induite en erreur, et c'est grave. C'est très grave si, même au Théâtre, elle se met à perdre les pédales.

— Vous êtes prête ? Que signifie l'expression : perdre les pédales ? Chaque seconde d'hésitation fera baisser votre note d'un point.

— Perdre les pédales, c'est quand on est sur une bicyclette et qu'on arrive à une descente, la pente est raide et les roues tournent de plus en plus vite, les pieds se détachent des pédales et on ne contrôle plus le véhicule, on ne peut plus se retenir, on ne peut plus être tenu pour responsable, ce n'est pas votre faute si vous écrasez d'autres êtres sur votre route, c'est plus fort que vous, une fois que c'est commencé il faut que ça aille jusqu'au bout.

— Ce n'est pas mal. Admissible.

— C'est pas mal, tout ça. Pas mal du tout.

— Voilà, j'ai fait ce que vous m'avez demandé de faire, maintenant je vais me rhabiller. Il fait froid et je ne me sens pas bien. D'accord ?

— Est-ce qu'on est d'accord ? Qu'est-ce que vous en dites ? On est d'accord pour qu'elle se rhabille ?

— Moi, je ne suis pas d'accord.

— Moi non plus.

— Moi non plus. Alors ? On vote ?

— Ha ha.

— On vote !

— Vous m'avez donné votre parole, vous m'avez dit que si…

— On a changé d'avis, ma biche. Pas de chance.

— Laissez-moi partir, je vous en supplie. Laissez-moi partir !

— Elle n'a pas l'air d'écouter ce qu'on lui dit. C'était pourtant clair ?

— Ah ! ça… Pour être clair, c'était de l'eau de roche.

— On va lui apprendre à écouter ce que lui disent les grandes personnes ?

Une fois que c'est commencé, il faut que ça aille jusqu'au bout. Quand on a pris la voiture et qu'on s'est engagé dans un tunnel avec le moteur qui chauffe, on n'a pas le choix, il faut vivre ça du début jusqu'à la fin. Quand on entre en scène au premier acte, on ne peut pas ensuite changer d'avis, on est obligé de revenir pour le deuxième et le troisième. Quand on commence à ressentir les contractions, on ne peut pas faire marche arrière, il faut que tout s'enchaîne jusqu'à la naissance ou la mort, quitte à passer par des scènes de boucherie, les pieds dans les étriers, les bras attachés par des courroies de cuir, le corps hurlant écartelé par la douleur.

Une femme sans clef est en proie à l'oiseau-panique, elle se met à courir dans les couloirs et à taper sur les murs, on l'attache à son lit avec de solides courroies de cuir, elle a le corps arc-bouté, tendu extatiquement pour recevoir la piqûre…

Une femme du Far West est kidnappée par des hors-la-loi, on lui arrache son chapeau à fleurs et sa robe à fanfreluches, elle est là à trembler dans ses bottines à lacets, on lui arrache son pantalon de dentelle et son corsage de dentelle, on lui fourre dans la bouche son mouchoir de dentelle, on contemple avec satisfaction sa honte et son désarroi, on l'attache avec des cordages aux rails du chemin de fer, ce qui fait immanquablement surgir le train, la femme s'évanouit et on la laisse pour morte, surgit ensuite, au bout de cent années, le prince charmant…

Et Omaya écartelée, deux mains deux pieds la tête retenus par des courroies de chair, la bouche stoppée par un bâillon de chair, une fois que c'est commencé il faut que ça aille jusqu'au bout, elle attend cent années et plus, elle peut attendre toute la vie, personne ne viendra, elle est insauvable, ce sera toujours le mois de décembre, il fera toujours froid, elle sera toujours là à sentir le train lui passer sur le corps, les roues sont affûtées comme des couteaux, comme une scie qui scie les os, elles tournent à une vitesse invraisemblable, chacune creusant sa rainure, voilà ce qui arrive quand quelqu'un perd les pédales…

— Mais *qu'est-ce* qui est arrivé, exactement, ce soir-là ? Au fond, ils ne vous ont ni enlevée, ni déshabillée de force. C'est vous-même qui, de votre propre aveu, avez ôté vos vêtements. Au fond, ce qui s'est passé, ce n'est rien.

Au fond, rien. Il n'y a rien au fond du tunnel. Un tunnel est vide par définition et par essence. Il faut que j'arrive à me concentrer sur les murs, à arrêter les mots. Faire le vide, comme le dit Saroyan. Ne pas trop ressasser, ne pas me laisser noyer par le flot des mots. Mais rien ne peut arrêter le train de mes pensées – c'est un poème de Lorna ? – rien, même pas le sommeil, c'est encore pire que la veille. Vous êtes insomniaque parce que vous avez peur de ce que vous révéleraient vos rêves. Oui, alors des fleurs pour dormir d'un sommeil sans rêves, et d'autres fleurs pour vivre d'une vie sans rêves… Saroyan me dit : méditation vaut mieux que médication, assieds-toi par terre dans la position du lotus, fais le vide, respire profondément, laisse-moi te masser… NE ME TOUCHE PAS !

Dans une heure ce sera commencé et il faudra les convaincre que j'ai les clefs, ce n'est pas le moment de les égarer de nouveau, Omaya, écoute… Au café-restaurant à côté du Théâtre, je m'asseyais toujours à une table où deux personnes parlaient déjà, ça me donnait des idées pour mes personnages, le plus souvent c'étaient des ouvriers qui travaillaient dans le quartier, ils venaient là à l'heure du déjeuner, ils parlaient de choses qui n'avaient aucun rapport avec la pièce mais j'attrapais au vol une phrase parfois un simple mot – serré, crayeux, aplati – et c'était comme un conseil pour le jeu, je pouvais m'en servir, alors écoute…

— Brave type. Dans le mille. Pas du genre m'as-tu-vu ni mièvre.

— Tout à fait de votre avis.

— Il m'a fait rencontrer sa fiancée la semaine dernière.

— Elle est malade, bien entendu ?

— Mourante.

— L'œil de Dieu ?

— Dans la bouche. Dans le mille.

— Ah ! ça… Et j'imagine qu'il n'en peut mais.

— Exactement. Il faut savoir à quoi s'en tenir.

— Et c'est son cas ?

— Fiable. Ne manque jamais à l'appel.

— Ah ! bon. Si seulement j'avais sa bravoure.

— Eh ! oui. Humain trop humain, n'est-ce pas ?

— C'est bien dommage quand même. Il pleut des cordes.

— C'est pour mieux vous ficeler, mon vieux.

— Comme vous dites. On en rirait presque, à la fin.

N'écoutez pas, ce n'est pas ça, ce n'est pas ça, ce sont les mots d'Omaya elle-même, ne faites aucune attention, ça va lui passer, je vous en prie, ne l'abandonnez pas, écoutez, je vais m'efforcer d'être cohérente…

— Tu ne pourrais pas parler d'une façon cohérente, au lieu d'agiter les bras et de t'exprimer par onomatopées ? Tu ressembles à un dessin animé ! A quoi sert le langage, à ton avis ?

— Omaya, la maîtresse me dit…

— Je suis au courant.

— Mais pourquoi, ma bêta ? Pourquoi refuses-tu de parler en classe maintenant ?

— Ce n'est pas que je refuse de parler, c'est que les mots ne me suffisent pas. Ils sont en noir

132

et blanc, ils sont tristes tout seuls, alors j'ai envie d'y ajouter de la couleur.

— Ah !… C'est joli. Mais ce n'est pas vrai que les mots sont en noir et blanc. Le mot rose, par exemple, de quelle couleur est-il ?

— Les lettres sont noires avec de l'espace blanc autour. Les sons sont noirs avec de l'air blanc autour.

— Mais pas du tout ! A quoi sert-il alors d'écrire de la poésie, si ce n'est pour peindre un beau tableau avec toute la palette phonétique ?

— Je n'ai jamais dit qu'écrire de la poésie servait à quelque chose.

— Ecoute, ma chérie… Le cerveau que nous t'avons légué est divisé en deux parties, l'une verbale et l'autre émotive, il n'y a aucune raison de favoriser l'une aux dépens de l'autre, c'est injuste, c'est un peu comme si tu préférais ton père à ta mère, l'hémisphère droit à l'hémisphère gauche, c'est inadmissible !

Elle n'a pas dit ça, je déraille à nouveau, Cybèle ne m'a jamais parlé ainsi, encore des mensonges, jurez-vous de parler sans haine et sans crainte, de dire toute la vérité et rien que la vérité, je le jure que si je savais comment font les autres je le ferais, mais tous vous avez appris vos textes par cœur, vos textes de loi et moi je ne dispose d'aucun texte, tous les livres parlent de ça mais ce qui est arrivé à Omaya n'a jamais été touché par

les mots, même pas effleuré, et vous voudriez que
je mette des mots autour, dès que les mots l'approchent ils sont repoussés, comme un aimant négatif
est repoussé par un aimant négatif, c'est le Hibou
qui m'a appris ça, deux aimants qui ont la même
charge ne peuvent pas se rencontrer, les mots
négatifs ne peuvent pas coller à la chose négative,
ils rebondissent et se mettent à tournoyer, ils se
cognent les uns aux autres, ils refusent de s'ali-
gner sagement en des phrases, avec tous les mots
du monde je n'arriverais pas à vous faire sentir
serait-ce la première gifle, le choc de ça, le scan-
dale de ça, les larmes qui viennent aux yeux, la
joue qui brûle, et puis leurs doigts serrant les poignets d'Omaya comme des menottes, les muscles
de leurs bras comme un étau, contact étourdissant
qui tourne mes propres muscles en dérision, qui
rend absurde et inutile ma propre force, et puis le
grain de leur peau grotesquement rapproché, et
l'aigreur de leurs haleines, leurs sueurs, tous leurs
jus, pour vous ce sont des mots et vous n'y comprenez rien, parce que EUX, ce sont eux qui détiennent la clef du mystère, et sans la clef je ne peux
que me répéter et tourner en rond et me perdre
dans les dédales du Château.

— Pourquoi le Château ?
— Voici, ma femme chérie, les clefs de toutes
les portes de mon Château, mais surtout ne te sers
pas de la toute petite, elle ouvre la porte du cabinet

tout au fond du corridor, je te la donne, mais n'y va pas, voici la clef, voici la porte, ne l'ouvre pas, ne cherche pas à savoir ce qu'il y a derrière, je te donne la clef pour qu'elle ne serve jamais, as-tu bien compris ?

— Ainsi, vous détenez bel et bien la clef mais il vous est interdit de vous en servir.

— La clef du mystère, non. Ce qui se trouve à l'intérieur du cabinet, ce n'est pas un mystère. Tout le monde le sait.

— Qu'est-ce ?

— …

— Dites-moi ? Qu'y a-t-il ?

— …

— Ce sont des contes de fées, Omaya.

— Les journaux aussi, et la radio, et les livres d'histoire, autant de contes de fées dans lesquels des barbes bleues et blanches et noires, des têtes couronnées et capuchonnées étalent le sinistre contenu de leurs cabinets secrets : on tourne la page, on ouvre la porte, commence la concurrence : combien sont-elles ? Combien de lapines accrochées aux clous, suspendues la tête en bas ? Cinq ? dix ? vingt-cinq ? cinquante ? Les Châtelains contemporains parviendront-ils à battre le record de leurs aïeuls ?

— Pourquoi les Châtelains ?

— Parce que les Châtelains, ils circulent partout, ils savent où ils veulent aller, ils détiennent les clefs, ils ouvrent les portières – Montez, je vous prie –, les clefs s'insèrent sans même qu'ils y regardent, dans la portière, l'allumage, le coffre, jamais elles ne se coincent ni ne s'égarent, elles sont comme un appendice du corps, toujours prêtes à entrer en action, les Châtelains s'en servent machinalement, pour eux les clefs ont une fonction purement utilitaire, elles sont un moyen pour parvenir à une fin.

— Et la fin ? Quelle est la fin ?

— Tout le monde connaît la fin. Ce n'est pas une surprise.

— Pourquoi m'as-tu désobéi ? Pourquoi as-tu ouvert la porte du petit cabinet ?

— Excusez-moi… Je n'ai pas bien entendu la question.

— Pourquoi avez-vous fouillé dans la pharmacie ?

— Je cherchais de l'aspirine, j'avais mal à la tête.

— Qu'y avez-vous dérobé ?

— De l'aspirine seulement.

— Il n'y avait pas d'aspirine. Quel médicament avez-vous pris ?

— Ne me touchez pas ! Je vous en supplie… Qu'est-ce que vous m'avez demandé ?

— On vous entend mal, mademoiselle. Ne pourriez-vous au moins faire un effort pour parler de manière audible ? Silence dans la salle. Le procureur vous a demandé de donner les raisons de votre tentative de suicide.

— Le procureur ?

Les Amies se mettent à chanter. Leurs voix sont des rubans de couleur qui flottent doucement dans l'air, des tonalités vieux rose, violet et violine, narguant les sombres attitudes du juge, des avocates, des policiers, s'entortillant malicieusement dans leurs cheveux, s'insinuant dans leurs oreilles, les Amies se tiennent par la main et se balancent à droite à gauche, berçant Omaya de leurs harmonies suaves. Le marteau traverse l'air, il frappe les voix et les éteint, reviennent les mots en noir et blanc…

— Silence dans la salle. Je préviens l'audience que si de telles perturbations devaient se reproduire, je donnerais l'ordre d'évacuer immédiatement le Tribunal, et la suite du procès se déroulerait à huis clos. Madame le procureur, ayez l'obligeance de répéter votre question.

— Quelles furent les principales raisons de votre tentative pour mettre fin à votre vie ?

— Saroyan m'avait amenée écouter de la musique ancienne dans une église. C'était un concert de chant, un chœur d'enfants. La musique était pure, joyeuse, les enfants avaient tous la bouche ouverte, ronde comme un O, ils chantaient et leur harmonie était parfaite, aucune voix n'aurait pu dévier de sa ligne vibrante de notes, aucune n'aurait pu défaillir, les voix se soutenaient l'une l'autre, les yeux brillaient d'une conviction ardente…

— Continuez.

— Et peu à peu… j'ai compris pourquoi les enfants se livraient ainsi corps et âme à la musique. C'est parce que…

— Oui ?

— C'est parce qu'ils étaient… condamnés.

— Pouvez-vous expliciter ce terme ?

— Ils étaient dans un champ de concentration, on les forçait à se concentrer, on les obligeait à chanter, s'ils chantaient faux ils seraient tués sur-le-champ, la musique si joyeuse était un simulacre, elle était fausse, abominable, elle ne servait qu'à édulcorer l'horreur, les bouches étaient rondes de peur, les yeux brillaient de larmes, je me suis mise à…

— Continuez.

— … à pleurer, moi aussi, Saroyan m'a serré la main comme pour dire je te comprends, c'est tellement beau, et puis…

— Et puis ?

— … après, une fois dehors, je ne pouvais pas le lui dire. Il était tellement bon, tellement confiant, et j'avais honte.

— Vous saviez donc que votre vision ne correspondait pas à la réalité.

— Nous nous égarons à nouveau, madame le président. Quel rapport peut-il y avoir entre cet épisode dans la vie de ma cliente, qui appartient du reste à un passé relativement reculé, et les faits dont nous avons à juger aujourd'hui ?

— Il s'agit de déterminer, je crois, si oui ou non votre cliente est sujette à des crises hallucinatoires. C'est bien cela, madame le procureur ?

— Oui, madame le président.

— Poursuivez votre interrogatoire.

En apparence, c'est très facile. L'Appartement est situé au sixième étage… Mais comment faire, une fois dehors, pour refermer la fenêtre ? Laisser un mot pour s'excuser d'avoir créé un courant d'air ? Non… Ne laisser aucun mot, aucune trace. Ne pas leur imposer la corvée qui consiste à ramasser les membres désarticulés du corps, de la phrase, et à les rafistoler. Jambes à la place des bras, objet à la place du sujet, tête à la place du sexe, adjectif à la place du verbe. Cela ne constitue en aucun cas un tout, c'est parfaitement incohérent, il manque la clef.

C'est finalement très difficile. Si seulement quelqu'un d'autre. Si seulement abdiquer même cette décision-là. Si seulement les pas derrière Omaya, dans la rue, voulaient bien s'accélérer, devenir plus forts, se transformer en crépitements de mitrailleuse.

Le marteau traverse l'air et frappe. Les voix s'éteignent. Règnent le silence et le noir prégnants. Omaya attend, immobile, au milieu de la scène. Les rideaux s'écartent. Le cercle de lumière s'abat sur elle. Aveuglée, elle se met à parler.

Dans les films noirs, on braque toujours une lumière violente sur le visage du criminel. Aveuglé, il se met à parler. Les projecteurs émettent une lumière chaude qui fait couler les fards, tomber les masques, s'effondrer les mensonges. La lumière débusque la vérité, elle la traque jusque dans ses derniers retranchements. Vous ne voyez pas vos juges, ceux à qui vous devez dire la vérité, mais eux vous voient. Toute la nudité de votre terreur. Les phares braqués sur la lapine… Mais non, il n'y avait pas de phares.

Omaya a cessé de parler. Le cercle de lumière s'est estompé, se mêlant peu à peu aux feux de la rampe. Saroyan est venu me rejoindre. Nous avons répété cent fois cette scène chez lui, au milieu des coussins, des tentures, des tasses de thé. Je joue la Vamp, mon corps est dur, brillant et noir. Je me détourne de Saroyan, je me dirige vers un escalier en spirale au fond de la scène, lui voudrait me retenir, il me court après et me saisit par les épaules, entre cet instant et le cri de Saroyan je ne me souviens de rien, il hurle alors qu'un hurlement ne figure pas à cet endroit du texte, il ne faut pas que le public se doute de quoi que ce soit, Omaya commence à monter l'escalier en spirale, tenant d'une main sa jupe noire fendue jusqu'à la cuisse, et c'est seulement quand la courbe ascendante des marches la ramène face au public qu'elle voit le corps de Saroyan, le corps en boule et gémissant de Saroyan, et qu'elle comprend que même ce répit-là lui est ôté, que même sur scène elle ne s'appartiendra plus… Saroyan parvient à raccommoder la vraisemblance, les applaudissements de ce soir-là sont comme des crépitements de mitrailleuse, Omaya ferme les yeux, soulagée de se savoir enfin devant le feu du peloton, mais quand les crépitements s'arrêtent elle vit toujours, elle doit faire face à Saroyan, aux autres acteurs, au metteur en scène, et peu à peu elle réalise, reconstitue : *c'était le talon aiguille.*

Il ne faut plus que je joue ce rôle. Je suis trop nerveuse, c'est le rôle qui m'a rendue nerveuse, je suis navrée, je ne l'ai pas fait exprès, je vous le jure, ce n'était pas prémédité, je n'avais aucune intention de nuire, ni à Saroyan ni au spectacle, remplacez-moi, pardonnez-moi, mais ne m'excluez pas, oh s'il vous plaît, ne me mettez pas à la porte…

— Comment ça, vous ne l'avez pas fait exprès ?

— Je vous le jure, ce n'était pas prémédité.

— Pas exprès et pas prémédité, ce sont deux choses différentes. On n'emporte pas un collier en argent sans le faire exprès.

— J'avais l'intention de le payer, je vous le jure, et puis j'ai dû avoir un instant de distraction…

— Et vous êtes sortie distraitement du magasin après avoir enfoui distraitement le collier au fond de votre sac ?

141

— J'avais ouvert le sac pour chercher un mouchoir…

— Et pendant que vous vous essuyiez le nez, le collier s'est glissé insidieusement tel un serpent sous votre agenda, votre portefeuille, vos mouchoirs et j'en passe ?

Il n'a pas dit ça. Insidieusement tel un serpent, il ne l'a certainement pas dit.

— Ainsi, votre cliente avait déjà depuis longtemps perdu son innocence. Son casier judiciaire, bien avant ce fameux mois de décembre, était déjà tout sauf vierge. Greffier, notez-le bien : cette jeune femme avait déjà, de par le passé, manifesté un comportement antisocial. En outre, elle avait inventé des mensonges grossiers pour se soustraire à la Justice.

— Les menus larcins commis par ma cliente ne témoignent nullement d'une attitude criminelle ; plutôt d'une légère perturbation psychologique. A une certaine époque de sa vie, elle eut effectivement une tendance à la kleptomanie, mais cette tendance s'est atténuée grâce aux traitements et a fini par disparaître. Je me permets par ailleurs de vous rappeler que, dans le cas présent, ma cliente n'a pas perpétré mais subi une agression, et que ce sont les circonstances de ce crime-là qu'il s'agit d'éclaircir.

— Si vous permettez, madame le président… Il est loin d'être établi qu'il y a eu crime. La formulation de ma collègue présume déjà des résultats d'une décision qui n'a pas été rendue. Elle espère ainsi infléchir le jugement des membres du jury. Je la prie de retirer incessamment cette formulation.

— Votre objection est parfaitement fondée.

— Faites appeler l'inculpée.

Personne n'a dit ça. Mais qui, mais qu'ont-ils dit ? Faites appeler… Il y a un mot pour ça…

— Faites appeler la détenue.

Non plus. Vous n'êtes pas détenue ici, mademoiselle. Personne ne vous retient. Certes, il s'agit d'une réclusion, mais elle n'est pas encore devenue criminelle. Si vous ne vous plaisez pas ici, au lieu de constamment vous plaindre…

Voilà :

— Faites appeler la plaignante.

Celle qui se plaint toujours, sous n'importe quel prétexte. Manque de sommeil, manque d'appétit, manque d'amour, manque d'humour, manque d'intégrité, manque d'orientation, manque de clef.

— Arrête de geindre, tu me rends folle. Allez, ma bêta, ne te mets pas à pleurer maintenant. Montre-moi ta main. Qu'est-ce que tu t'es fait ?

— C'est le couteau, il a coupé le doigt d'Omaya, il lui a donné une blessure.

Sanglots. Mais Cybèle verra la blessure, elle y portera les lèvres, elle la guérira.

— Où ? Mais *où* ? Je ne vois rien du tout.

— Là ! Tu vois bien, c'est là ! Aïïïe, j'ai mal, j'ai mal…

— *Ça ?* C'est ça que tu appelles une blessure ? Cette minuscule marque rouge ? Mais ça ne saigne même pas ! Ma pauvre bêta, tu n'es plus un bébé, il ne faut pas pleurnicher pour un oui et pour un non. Fais couler dessus un peu d'eau froide, si tu veux. Mais sois gentille, laisse-moi tranquille, j'ai du travail à finir avant de me coucher. Tu pourras te mettre au lit toute seule ? hein ma grande ?

— Serait-ce là l'origine de votre problème avec les instruments tranchants ? Eternellement revivre cette scène dans l'espoir qu'elle se dénouera différemment, c'est-à-dire par la reconnaissance de votre douleur ?

Omaya est étendue sur un divan. Elle tricote. Derrière elle, au-dessus d'elle, Saroyan. C'est son mari. Il lui dit des mots écrits par quelqu'un d'autre. Il lui raconte qu'il aime une autre femme. Omaya sent monter en elle la jalousie feinte, la colère feinte lui fait bouillonner le sang. Elle se lève, elle se retourne, elle plonge l'aiguille à tricoter dans la poitrine de son mari. Saroyan s'effondre. Il est mort. L'aiguille à tricoter est réelle.

— C'est faux. Tout ce que vous racontez est faux. Je n'aurais jamais fait ça. Comment aurais-je pu tuer Saroyan ? C'était mon ami. Le seul homme en qui j'ai jamais eu confiance.

— Il y avait déjà eu cette histoire de talon aiguille…

— C'était un accident ! J'avais eu un instant de distraction ! Mais cette fois-ci vous voulez m'inculper d'un crime auquel je suis entièrement étrangère.

— Alors comment expliquez-vous qu'il est mort, votre ami ?

— Il n'est pas mort, il fait seulement semblant. Il joue. C'est écrit dans la pièce. Son personnage est censé mourir. Il attend les applaudissements, et comme personne n'applaudit il ne veut pas se relever. N'est-ce pas, Saroyan ?

Saroyan ne bouge pas.

— Alors, même quand un homme ne bouge pas, il peut vous faire un petit. Fascinante découverte.

— Ne sois pas sarcastique, Alix. Ce n'est vraiment pas le moment. J'ai besoin de ton aide.

— Les hommes pour l'amour, les femmes pour l'assistance. Comme c'est charmant. C'est toi qui t'es choisi ces beaux draps – s'ils sont sales, il faudra les laver toi-même.

— Donnez-nous le sens précis des expressions suivantes : être dans de beaux draps ; laver son linge sale en public.

— Non ! Pas maintenant… Je suis avec Alix. Elle me protège. C'est elle qui m'accompagne à la clinique.

— Et le fier papa, qu'est-ce qu'il en dit ? Il est d'accord pour le faire passer, son rejeton ?

— Il n'est pas d'accord. Il dit que ça me ferait du bien d'avoir un enfant.

— Sagesse séculaire.

— Il dit que ça me calmerait, ça m'obligerait à penser à quelqu'un d'autre, d'être moins préoccupée par moi-même… Si j'avais affaire à un réel irréductible, peut-être que mes… mes… le reste me tourmenterait un peu moins.

— Comme c'est bienveillant de sa part. C'est pour ça qu'il ne voulait pas t'accompagner à la clinique ? Pour ne pas être complice du crime que tu te prépares à commettre ?

— Tu sais bien que Saroyan n'a pas de voiture. Alix, arrête, je t'en prie, c'est déjà suffisamment pénible.

Les pieds dans les étriers. Ecartez bien les cuisses.

De ça, je ne me relèverai jamais. Cette fois, c'est sans appel.

Omaya et Saroyan sont mariés. Ils ont une petite fille de deux ans et demi. Le gouvernement donne ponctuellement à tous les parents le choix de mettre à mort ou non leur progéniture. Omaya en discute avec Saroyan à propos de leur fille. Elle cherche à deviner et à devancer son désir. Elle hésite, elle lance un : Oui ? au hasard et Saroyan opine : D'accord. Ce sera fait.

Les parents sont contraints par la loi d'assister à la cérémonie. Celle-ci consiste à placer l'enfant endormi sur un bloc de pierre, à poser sur le corps une autre pierre plus petite pour le tenir, et à descendre le tout, par le moyen d'une poulie, dans un caveau creusé à cet effet dans le sol. Le fossoyeur est un vieillard à la peau tannée et aux mains noueuses. Il exécute ces gestes dans l'impassibilité la plus totale. A la fin, quand le bloc de pierre est arrivé au fond, il jette une poignée de sulfate sur le corps du bébé afin qu'il se consume une fois enseveli.

Aussitôt la chose accomplie, Omaya est envahie de remords. Elle repense à sa grossesse, à l'impatience émerveillée dans laquelle ils avaient, elle et Saroyan, attendu cette enfant, elle se souvient de l'accouchement, toute cette souffrance pour quoi, et elle se dit que deux ans et demi, ça ne fait pas une vie, ça ne ressemble à rien, c'est monstrueux. A genoux, Omaya supplie Saroyan de revenir sur leur décision. Elle lui dit que c'est une erreur, qu'il faut tout faire pour la réparer, et Saroyan opine : D'accord.

Ensemble ils courent retrouver le fossoyeur et celui-ci accepte, un peu bougon, de tenter le sauvetage. Il cherche un médecin pour l'accompagner au fond du caveau. Quand les deux hommes remontent à la surface, ils nous informent que le bébé n'est pas encore mort, qu'il survivra peut-être, seulement…

— Seulement quoi ?

— Seulement… le sulfate a déjà brûlé sa poitrine… et la plaie qu'il a laissée…

— Oui ? Continuez.

— On me demande de deviner la forme de la plaie. On me dit : Elle a la forme d'une lettre, devinez laquelle ?

— Et alors ? Ne pleurez pas, ce n'est qu'un rêve. Quelle forme avait la plaie ?

— Elle avait la forme… d'un O.

— Mais c'est tout à fait normal, ça ne veut rien dire. Toutes les blessures ont la forme d'un O. Tout tend vers le rond, vous le savez bien. Les bulles sous la glace, le trajet de votre père autour du lac, la bouche des enfants prisonniers qui chantent… Quoi de plus prévisible ?

Ce n'est qu'un rêve, un conte de fées, un roman à l'eau de rose. Au fond, ce qui est arrivé, ce n'est rien. Omaya n'a pas tué Saroyan pour de vrai, elle n'a jamais été enceinte, elle ne sait même pas tricoter. Ce n'est qu'une histoire qu'on raconte, une pièce de théâtre, une fantasmagorie. Au fond, ce qui est arrivé, ce n'est rien. Omaya ne sait pas créer, son seul art, ce sont des mots en l'air, et pour le reste elle est stérile. Foncièrement incapable de façonner du réel.

Une femme sculpteur, sœur d'un écrivain célèbre, compagne d'un sculpteur plus célèbre encore, s'acharne contre le marbre et lui arrache des baisers, des confidences, des valses, des cris inouïs. Elle tombe malade, il ne faut plus qu'elle touche à la sculpture. On l'enferme dans un Château et elle écrit à son frère : Sors-moi d'ici, aide-moi à m'en sortir, les années passent et je vieillis, elle vieillit et elle désespère, elle ne quittera jamais le Château, ce n'est pas son frère mais la mort qui l'en délivrera.

Arrête. Arrête – le – train – s'arrête Montent trois garçons. La bande a depuis longtemps disparu. Ceux-ci sont plus âgés, on pourrait presque les prendre pour des hommes, ils ont tout ce qu'il faut pour être des hommes, la taille, la barbe, la voix de basse, mais on sait que ce ne sont pas des hommes car tous ces traits sont légèrement exagérés : les corps s'étirent un peu trop vers le haut, les voix descendent un peu trop vers le bas, les mentons sont hirsutes avec ostentation, ce sont donc des garçons qui jouent à l'homme, les hommes ce sont de grands enfants, l'un d'eux est un peu moins grand que les deux autres, ils sont trois, ils étaient trois, pouvez-vous nous les décrire, l'un d'eux était un peu plus petit que les deux autres, c'est le souffre-douleur, cet écolier est le souffre-douleur de ses camarades, surtout du plus grand d'entre eux qui le bouscule sans arrêt, avant que les portes ne se referment il l'a poussé cinq fois hors du train, sur le quai, mais le petit rigole, il ne doit pas se fâcher, sinon il risquerait de perdre l'estime des plus grands, il doit encaisser, sans avoir l'air d'encaisser simplement parce qu'il est petit et qu'il y est bien obligé, alors il rit, il dit arrête, arrête je te dis, arrête enfin, arrête de déconner, la cinquième fois son rire jaunit, dans ses yeux commence à poindre la panique, comment sauver la face si ça continue comme ça, avec les autres qui regardent, mais heureusement les portes se ferment, et il faudra que le plus grand invente un nouveau jeu, une nouvelle torture pour le plus petit...

Arrête. Le mot est écrit en toutes lettres à côté d'Omaya. Je le vois. Il est vraiment là. Il se trouve en haut d'une page de droite, à côté d'un pouce d'homme à l'ongle bien entretenu. En haut de la page de gauche est imprimé le nom de l'auteur du livre, nom synonyme de best-seller. Arrête, dit la femme noire. Omaya ne lis pas ça, arrête, s'il te plaît arrête. Je t'ai dit de me sucer, dit l'homme noir. Arrête. Les mots défilent sur la page, les uns après les autres. Ce sont des mots. L'homme noir s'empare d'un sabre, il tranche la tête de la femme noire. Arrête. L'homme noir tient la tête sanguinolente de la femme noire par les cheveux, et avant même la fin de la page il a obtenu ce qu'il voulait. Cinq cent mille exemplaires. Cinq cent mille fois imprimé : Arrête, dit la femme noire. Cinq cent mille fois lu : Je t'ai dit de me sucer, dit l'homme noir. Le pouce blanc tourne la page. Omaya détourne les yeux.

— Je peux vous accompagner quelque part ?
— Non, merci.
— Allez, il ne faut pas avoir peur. Vous avez l'air fatiguée, je peux vous rendre service. Un point, c'est tout.
— Je préfère aller à pied. Merci quand même.
— C'est parce que je suis noir ? Vous êtes raciste ?
— J'ai simplement envie de me promener seule.

Omaya ferme les yeux. Ce sont des mots. Tout ça. Tout ce que je vous raconte là.

Les yeux fermés, je ne sais pas si je suis assise face à la tête ou à la queue du train. Si c'est la tête, nous allons vers le nord, si c'est la queue, nous allons vers le sud. Le nord est toujours droit devant vous quand vous regardez une carte. Le sud derrière et l'est à droite et l'ouest à gauche. Compas vivant. Ils ont tourné à droite, encore à droite, et puis à gauche. Est, est, ouest. Pourquoi n'avez-vous pas cherché à savoir où vous étiez ? Quand vous êtes-vous aperçue qu'ils n'étaient pas en train de vous ramener au Château ?

— Ne nous égarons pas. Quel est le sens précis de l'expression suivante : Il ne perd jamais le nord ?

— Il ne perd jamais le nord, ça veut dire qu'on ne peut pas le détourner de son but, qu'il ira jusqu'au bout, qu'il obtiendra ce qu'il veut, qu'on peut essayer tout ce qu'on veut pour le distraire, que rien ne pourra l'arrêter, qu'il se dirigera droit devant lui, toujours vers le nord, quels que soient les obstacles qui se dressent sur son chemin.

— C'est bien. C'est même très bien. En somme, vous-même auriez souffert d'un manque d'orientation dans votre vie… si j'ose dire… professionnelle ?

— Je m'excuse… Je n'ai pas bien saisi le sens de votre question.

— Vous considérez-vous comme une fille perdue ?

C'est le Hibou qui m'a appris à m'orienter selon les étoiles. Lui qui voyait si bien la nuit. Lui qui n'avait même pas besoin des phares parce qu'il voyait parfaitement dans le noir. Grâce aux étoiles, on ne peut jamais être perdu, tant que dure la nuit et tant qu'il n'y a pas de nuages et tant qu'aller vers le nord signifie aller où on veut. Il marchait dans la forêt, je le suivais, c'était tout naturel, c'était lui le guide avec les constellations dans la tête, les yeux brillants, et moi derrière, les yeux par terre pour ne pas marcher sur des épines, prendre mes pieds dans des racines, trébucher et tomber en avant sur des pierres coupantes. Je le suivais et j'étais heureuse parce qu'il chantait tout le temps, le chant du Hibou respire la sagesse, je l'écoutais et sa sagesse entrait tout doucement dans mes oreilles, il ne fallait pas que je l'écoute trop sinon j'en oublierais de regarder où je mettais les pieds, je chuterais et le Hibou continuerait sans moi et je serais une fille perdue. Mais soudain il s'est arrêté. J'ai buté contre lui dans l'obscurité. Il m'a prise par la main. J'ai vu qu'il avait les yeux levés vers le ciel. Les étoiles avaient cessé de briller et ses yeux s'étaient éteints. Nous étions au milieu de la forêt et au milieu de la nuit et le ciel était rempli de nuages et sa tête aussi et ma tête aussi.

— Ne sommes-nous pas déjà passés devant ce chêne ? Le reconnais-tu ?

Pourquoi me demande-t-il si je le reconnais, je ne veux pas répondre, je ne connais pas la bonne réponse, c'est lui le guide et ce n'est pas à moi la connaissance, la reconnaissance…

— Ecoute… Est-ce que tu entends le bruit de l'autoroute ? Il faut essayer de se repérer, les étoiles ont disparu.

Pourquoi me demande-t-il d'écouter, je ne veux rien entendre hormis son chant à lui, je ne veux rien apprendre qui ne fasse déjà partie de sa sagesse. Pourquoi me demande-t-il de l'aider, c'est à lui de m'aider, un Hibou ne peut être perdu, c'est une contradiction dans les termes.

Quand on marche en rond autour d'un lac, il est impossible de se perdre. Je sais désormais à tout instant où se trouve le Hibou et lui aussi mais les étoiles se sont éteintes. Et moi, je vais en avant vers le nord, en arrière vers le sud, toujours en ligne droite mais sans repère, déboussolée. J'avance et je recule et ça ne change rien.

— Quelle était l'adresse de votre cliente avant son entrée au Château ?

— Elle n'avait pas, depuis quelques semaines, de domicile fixe. La compagnie théâtrale avec laquelle elle travaillait s'étant dissoute, elle était sans emploi et ne pouvait plus payer le loyer de son appartement. Elle était donc hébergée par différents amis.

— Pourquoi, alors, nous avoir dépeint cette scène avec Saroyan, dans laquelle celui-ci proposait à la plaignante de lui donner la réplique pour le nouveau spectacle ?

— Cette scène était indispensable pour la compréhension du personnage de Saroyan.

— Elle était donc entièrement de votre invention ?

— Certes, non. Elle était le collage d'un certain nombre de rencontres réelles qui ont eu lieu entre ma cliente et son ami.

— Bien. Je demande au greffier de prendre note : l'avocate de la plaignante avoue avoir considérablement arrangé les faits lors de sa première plaidoirie. Poursuivons. Ces… amis… qui ont hébergé la plaignante au cours des semaines précédant son incarcération, étaient-ce des hommes ? ou bien des femmes ?

— Les deux. Surtout des femmes.

— Diriez-vous que votre cliente a manifesté pendant cette période des symptômes de fille perdue ?

— Absolument pas.

— Et pourtant, vous venez d'affirmer qu'elle circulait parmi ses amis, dormant tantôt chez l'un et tantôt chez l'autre.

— Je ne vois aucun rapport entre cette question et la tâche qui nous incombe, qui consiste à établir, avec le plus de rigueur possible, non pas la vie passée de ma cliente mais le déroulement de l'agression dont elle a été la victime.

— Serait-il possible d'appeler à la barre l'un de ces soi-disant amis ?

Saroyan ne viendra pas. Il ne bougera plus. De mes propres yeux j'ai vu : on l'a étendu sur un bloc de pierre, on a posé sur son corps une autre pierre plus petite pour le tenir, on a descendu le tout, par le moyen d'une poulie, dans un caveau creusé à cet effet dans le sol, et on a jeté une poignée de sulfate sur le corps de Saroyan afin qu'il se consume une fois enseveli. Il y a comme ça des substances qui hâtent le vieillissement et d'autres qui le retardent. Le sulfate, ça va drôlement vite, mais toutes les attaques de l'âge peuvent être repoussées grâce à la crème antirides. N'oubliez pas : la nuit, plus qu'à tout autre moment, vous avez besoin d'être belle. Ne vous démaquillez surtout pas à ce moment crucial. Et si vous espérez séduire, ne vous mettez pas au lit sans avoir ajouté une nouvelle couche de crème antirides. C'est incolore et inodore : votre mari ne se doutera de rien. Il ne verra que votre visage, le vrai, celui qui l'a enchanté le jour de votre première rencontre.

Avant l'amour, gardez les yeux ouverts, évitez de sourire, de hausser ou de froncer les sourcils, ne parlez pas trop fort, buvez de l'eau, ne fumez pas, prenez régulièrement de l'exercice, mangez des légumes et des fruits frais, surveillez votre ligne, soyez de bonne humeur mais ne souriez pas trop. Pendant l'amour, fermez les yeux, ne froncez pas les sourcils, ne criez pas trop fort, rentrez le ventre, serrez les fesses, durcissez les seins, évitez de sourire. Certes, les baisers passionnés risquent de brouiller votre maquillage : ne vous en faites pas. Le mascara et le khôl sont là pour vous donner l'air d'avoir des yeux au beurre noir. Le fard à paupières, surtout dans les tons bleu et mauve, évoque de manière suggestive des ecchymoses. Le rouge est là pour créer l'illusion d'une bouche ensanglantée. S'il y en a un peu sur le pourtour des lèvres, cet effet n'en sera qu'intensifié. De même pour les autres lèvres. Un peu de rouge, un peu de sang ne peut que rehausser vos appas. Du reste, il est de notoriété publique que ce sont les femelles réglées qui éveillent le plus impérieusement l'ardeur des mâles.

— Excusez-moi, j'effectue un sondage sur les femmes dans votre cas. Pouvez-vous me dire si vous aviez vos règles au moment des faits ?

— Ainsi, vous affirmez avoir vu une goutte écarlate sur votre cuisse. Quelles étaient les dates de vos dernières règles ?
— Je m'excuse… Je ne suis pas sûre d'avoir compris la question.
— Est-ce que oui ou non vous êtes en règle ? Montrez-moi votre titre de transport.
— Mon titre de transport ?
— On ne peut pas voyager si l'on n'est pas en règle. Montrez-moi une pièce justificative.
— Une pièce ?
— On est habitué à juger chaque cas sur pièces. Vous n'avez pas le droit de vous déplacer sans pièces.

— Vous voulez dire… une pièce d'identité ?

— D'identité ou de différence, c'est égal, pourvu que votre photographie y figure et que votre signature y soit apposée.

— Attendez, j'ai quelques cartes dans mon portefeuille, je vais vous montrer ce que j'ai.

— Vous me faites perdre mon temps, je vais être obligé de vous dresser un procès-verbal.

— De me dresser… ?

— Quel est votre nom ?… Votre adresse ?… Pouvez-vous au moins me dire dans quel quartier vous habitez ? Sauriez-vous me l'indiquer sur un plan de la ville ? Et d'abord, sauriez-vous dessiner un plan de la ville ? Depuis combien de temps habitez-vous ici ? Répondez plus vite, je n'ai pas de temps à perdre. Combien de fois par semaine prenez-vous ce train ? Nous effectuons un sondage auprès des usagers du chemin de fer. Si un premier train quitte la gare à quatre heures de l'après-midi et voyage à une vitesse moyenne de quatre-vingt-dix kilomètres-heure, et si un deuxième train quitte la même gare à sept heures du soir et voyage à une vitesse moyenne de cent vingt kilomètres-heure, combien de temps faudra-t-il au deuxième train pour rattraper le premier ? Répondez vite : chaque seconde d'hésitation fera baisser votre note d'un point.

Cybèle n'hésiterait pas. Les réponses, pour elle, sont toujours là, au bout des doigts, présentes à l'appel, dociles, obéissantes. Combien de calories doit absorber quotidiennement une jeune fille de quatorze ans ? Quel est le montant optimal de son argent de poche ? Les chiffres répondent poliment à Cybèle quand elle leur pose une question, et leurs réponses sont irréfutables. Chaque problème a sa solution, il suffit de la formuler de la bonne manière, en tenant compte de toutes les variables…

— Excusez-moi, mademoiselle. Est-ce que ce train passe près de l'hôtel de ville ?

Il existe une réponse, c'est oui ou non, près, ça veut dire à moins de dix minutes à pied, près, c'est ce corps qui s'assoit exprès à côté du mien alors qu'il y a partout des places vides, près, c'est cette bouche qui ment lorsqu'elle prétend ne pas connaître le trajet du métro, qui ment lorsqu'elle sourit en me posant la question.

— Vous n'avez pas envie de parler ? Qu'est-ce qu'il y a ? Vous avez des soucis ?

— …

— Vous pourriez au moins vous fendre d'un sourire.

Lui, ne sourit plus. Omaya fixe une déchirure dans le siège vide en face d'elle. Disparaître dans la fente. Ne jamais ressortir vivante de la plaie… Figée. Et cette fois Alix pas là. La paralysie pire, encore pire. La rigidité du dos comme une branche morte, les os prêts à craquer…

— Souris, connasse.

Qu'il s'en aille, qu'il ne soit plus là, qu'il se contente de connasse, que la voix seulement, que pas la main, pas la main…

— T'es vraiment trop moche.

Ecœuré, il est parti. Et le corps entier d'Omaya bat, le sang se jette contre la peau de l'intérieur, tente de jaillir à travers les pores, et Omaya de haut en bas est cahotée, moulue, ses muscles se relâchent, ses jointures ramollissent, son visage devient obscènement perméable, ouvert à tous les vents, à toutes les bactéries, les infections…

— Nous commençons aujourd'hui notre travail sur la Peste. Je vous ai préparé une liste de documents à lire à ce sujet. Cette lecture est obligatoire, bien que le texte de la pièce elle-même n'en découle pas directement. C'est vous-mêmes qui, au cours des jours et des semaines à venir, découvrirez les mots dont vous aurez besoin pour jouer, c'est-à-dire en l'occurrence pour survivre. Chacun de vous fabriquera son personnage à partir des données concrètes fournies par les documents. Vous vivrez d'abord, pendant une dizaine de jours, dans le corps sain de ce personnage. Ensuite vous commencerez à ressentir – à travers *ce corps-là* et non le vôtre – les symptômes annonciateurs de la maladie.

Les premiers bubons se forment dans le cou, dans l'aisselle et dans l'aine. Ce n'est au début qu'une légère irritation, ensuite une petite boule,

puis deux, puis trois boules rouges et purulentes.
La peau est à vif. Vous soulevez les bras pour ne
pas exacerber la douleur. Vous marchez les jambes
écartées. Les vêtements deviennent un véritable
supplice… et cependant, il ne faut rien laisser
paraître. Vous vivez dans d'atroces souffrances
mais les autres ne doivent se douter de rien. On
peut distinguer de loin les malades des bien por-
tants, à leur démarche. Le soupçon et la haine se
répandent plus vite encore que la maladie. Chaque
malade soupçonne ses proches de l'avoir contaminé,
chaque bien portant fuit ses proches comme une
source potentielle de mort. La pitié, la tendresse,
la fraternité sont rongées, c'est le règne de l'égoïsme
absolu. Les parents abandonnent leurs nourris-
sons, les amants condamnés s'entre-déchirent, la
panique s'empare progressivement de tout le village… mais c'est une panique *individuelle*, impossible à partager : chaque être humain que vous
croisez est un ennemi mortel

Omaya travaille seule. Il n'y a aucun texte,
aucun repère. Elle ne marche pas dans la forêt,
elle ne s'installe pas chez Saroyan, elle s'enferme
chez elle. Nue. Elle lit. Elle mange tout en lisant.
Pendant dix jours, elle ne s'habille et ne quitte
l'Appartement que pour acheter du pain. Elle
dévore des pages et des pains sans discontinuer.
Les rideaux sont tirés, elle n'éteint pas la lumière
électrique, elle s'endort assise dans le fauteuil

avec un livre et un pain sur les genoux, elle se réveille sans savoir si c'est le jour ou la nuit, elle lit, elle mange. Elle sent l'enflement progressif de ses chairs. Elle voit rebondir le ventre, les cuisses et les bras. Elle est en train de se transformer en boulangère. Sa peau blanche est une couche permanente de farine sur le corps. Au bout de dix jours, enfin, elle se rhabille. Elle retourne au Théâtre et elle ne reconnaît personne.

La boulangère a déjà vu sombrer tous ses enfants : soif, fièvre, ganglions, vomissements et mort, elle connaît le scénario par cœur. Elle sait qu'elle-même est maintenant mûre pour la souffrance. Son corps est un immense pain blanc qui va se mettre à moisir. Les moisissures vert et mauve se poseront sur Omaya, entameront leur long travail de destruction.

Les autres ont besoin de moi, ils ont besoin de mon pain pour ne pas mourir, et moi j'ai besoin de leur argent. Il ne faut pas qu'ils s'aperçoivent de la moisissure. Je ne leur montre que les morceaux les plus blancs, les plus rebondis : le dos, les mollets, un sein, une fesse. Venez, prenez, mangez ! Ils ne se doutent pas que je leur donne à consommer des choses infectes, cuites au four de la fièvre, que ces fragments de nourriture blanche que je leur tends sont déjà altérés. Je souris malgré la brûlure lancinante à l'endroit des taches vert et mauve dissimulées.

Ils sont persuadés que tout est leur faute. Ils ne savent pas quel péché ils ont pu commettre pour que leurs enfants meurent comme des mouches. Les enfants ne savent pas résister à mes douceurs. Les miens ont disparu les uns après les autres, six en tout, c'est le bébé qui a succombé en premier, ensuite le fils aîné, puis les jumelles, tous, tous, entassés dans le wagon, j'entendais sonner la cloche, pourquoi les autres enfants continueraient-ils à courir dans les rues alors que les miens se désagrègent dans la fosse commune ? Ainsi je les attire exprès et je les empoisonne, j'entends leurs parents se lamenter – *mea culpa, mea culpa, mea maxima culpa* – et je ris et je jubile, priez, priez, battez votre coulpe, vos dieux n'ont rien à voir là-dedans, c'est moi la toute-puissante désormais, c'est moi qui vais gagner puisque c'est moi qui distribue la mort à tour de bras, c'est moi la nourriture, la pourriture, et seule la pourriture saurait survivre, je serai la dernière demeurée en vie.

Saroyan est noir et maigre à côté d'Omaya grasse et blanche. Il s'est confectionné un personnage de notaire ou de scribe, frac en loques et chapeau de guingois, étrange corbeau qui fond sur le beau pain blanc de la boulangère. Il me donne de violents coups de bec à la gorge pour m'arracher des bribes de mie de pain. Et les autres, les mendiants, qui souhaiteraient me manger pour rien, et leurs barrissements de désespoir quand je refuse de les satisfaire. Et le médecin du village, malade lui-même – c'est lui qui a fini par comprendre ; avec ses dernières forces il a saisi un grand couteau

à pain et il m'a fendue de la tête aux pieds –,
c'était Roman.

— On ne peut pas les en empêcher. Ils ont le
droit de citer les témoins qu'ils veulent.

— Et Roman, il a accepté de venir ?

— Oui… Mais il n'y a aucune raison que son
témoignage vous porte tort. Il pourrait tout aussi
bien vous absoudre.

— M'absoudre ?

— Depuis combien de temps connaissez-vous
la plaignante ?

— Depuis un an et demi environ. J'ai rejoint la
compagnie très peu de temps avant sa dissolution.
Nous n'avons donc joué ensemble qu'une seule
fois, dans le spectacle sur la Peste.

— Est-il vrai qu'après la dissolution de la compagnie la plaignante est restée chez vous pendant
deux semaines ?

— Vous avez d'excellents indicateurs.

— Répondez à la question.

— C'est exact.

— Pendant cette période, avez-vous vécu mari-
talement ?

— D'aucune manière.

— Vous comprenez bien le sens de ma question, n'est-ce pas ? Avez-vous eu des relations

maritales avec la plaignante, soit avant, soit pendant, soit après votre cohabitation ?

— La réponse est non. La plaignante dormait toujours assise dans un fauteuil.

— A votre avis, la plaignante était-elle une fille perdue ?

— J'ignore ce que signifie cette expression.

— A votre connaissance, la plaignante était-elle d'une moralité douteuse ? Avait-elle des comportements… intimes… qui déviaient de la norme ?

— …

— Je vous rappelle que vous êtes sous serment.

— Je me souviens d'un jour, Maître…

— Oui ?

— C'était l'été dernier… Nous venions de jouer une matinée. La pièce avait suscité l'enthousiasme des spectateurs, les acteurs étaient euphoriques… Nous avons quitté le Théâtre ensemble, la plaignante et moi. Il pleuvait à verse, une belle nuit chaude d'été. La plaignante avait encore de la farine dans les cheveux – dans la pièce elle jouait une boulangère – et elle a tiré de sa trousse un flacon de shampooing…

— Oui ?

— Eh bien, sauf votre respect, elle m'a demandé de lui laver les cheveux sous la pluie. Elle s'est couchée sur le macadam du parking… Il pleuvait si fort que nous avions tous deux les vêtements collés à la peau, nous riions aux éclats… Je lui savonnais la tête, je lui frottais le cuir chevelu, la pluie s'occupait du rinçage, la mousse lui

coulait par rigoles sur le visage et dans le cou…
La plaignante était aux anges.

— Et alors ?

— C'est tout, sauf votre honneur. Voilà à quoi
se limite ma connaissance des comportements
intimes déviants de cette personne.

Formidable Roman… Alix, elle, n'a pas été
citée la dernière fois, mais cette fois-ci peut-être…
Oh mon Alix, c'est toi que j'aurais tant voulu appeler ce soir-là, mais entre toi et moi combien d'obstacles, d'hommes, de voitures, de téléphones, de
rues… Si seulement j'avais pu entendre ta voix,
j'aurais su… quoi ? Tu ne m'aimais plus, tu
n'étais pas venue me voir au Château, tu m'en
voulais de ma défaite, de m'être retrouvée sans
clef et sans repère, c'était impardonnable.

— La plaignante a-t-elle habité chez vous au
cours de l'automne qui a précédé son incarcération ?

— Non, Maîtresse. Nous avions rompu au
cours de l'insupportable printemps.

— Aviez-vous été en contact avec la plaignante
depuis cette rupture ?

— Oui, Maîtresse. Omaya m'appelait de temps
à autre au téléphone, mais nous n'avions plus rien
à nous dire. Je vous conseille de la condamner à
quinze années de prison, fermes. L'enfermement,

elle en raffole. Pour elle, la véritable prison serait un paradis. Enfin elle pourrait se livrer totalement à son activité préférée, qui est la passivité.

Alix n'a pas dit ça, elle ne dirait jamais une chose pareille, elle est incapable de la moindre cruauté.

— Pourquoi inventez-vous alors de telles histoires ?

— A elle, on a livré la vie clefs en main…

— Et à vous ?

— …

— Un véhicule sans mode d'emploi ? sans clefs ? sans leçon préalable de conduite ? Ne serait-ce pas, plutôt, que vous les aviez, ces clefs, à un moment donné et qu'on vous les a subtilisées ? N'auriez-vous pas envie de déposer une plainte pour vol ?

— Je récuse le bien-fondé de ces allégations. Il n'y a pas eu vol. Cette femme n'appartenait à personne. Nulle part n'était écrit : PROPRIÉTÉ PRIVÉE. Et comment voler de la propriété publique ? C'est un non-sens, je réclame un non-lieu.

— Faites venir à la barre le témoin cité par la défense.

— … Depuis combien de temps connaissez-vous l'accusé ?

— Depuis bientôt quinze ans.

— Quelle est la nature de vos rapports ?

— Ce sont des rapports au départ professionnels, en quelque sorte, et ensuite amicaux, si je peux me permettre de le dire, en toute modestie, bien entendu.

— Exposez les faits que vous connaissez.

— Eh bien, j'ai rencontré l'accusé à son garage, je lui avais amené ma voiture, elle avait besoin de quelques réparations importantes, je suis retourné à plusieurs reprises pour voir comment avançait le travail, peu à peu on s'est mis à discuter et on s'est aperçus qu'on avait des atomes crochus. Je peux dire en toute sincérité que l'accusé est un travailleur sérieux qui connaît parfaitement son métier. Moi aussi, je m'intéresse aux voitures et on a eu de nombreuses discussions passionnantes…

— Lorsque vous affirmez que l'accusé est un travailleur sérieux, vous voulez dire que, par exemple, ce n'est pas un homme à se faire faire des shampooings sous la pluie en plein centre-ville ?

— Ça, Maître, je peux vous le garantir. Il n'aurait jamais fait ça. Ni le reste, d'ailleurs. Boire un verre de temps en temps, je ne dis pas. Il aime bien fraterniser. Mais c'est quelqu'un de foncièrement responsable. Voilà ce que j'aurais à dire à son sujet : c'est quelqu'un de foncièrement responsable.

— Je vous remercie, monsieur. Madame le président, je souhaiterais maintenant interroger à nouveau la plaignante.

— A votre guise, Maître.

— Mademoiselle… Pouvez-vous dire à la Cour quand vous vous êtes lavé les cheveux pour la dernière fois ?

— Je… quoi ? Quand je me suis quoi ?

— Votre dernier shampooing date de quand, s'il vous plaît ? Prenez votre temps. Réfléchissez avant de répondre.

— Je n'ai pas besoin de réfléchir. Je me suis lavé les cheveux ce matin.

— Pouvez-vous nous expliquer pourquoi ?

— C'est-à-dire que… je me lave les cheveux tous les matins depuis… depuis quelque temps… Il me semble qu'ils ne sont jamais assez propres… Au Château, je m'enfermais souvent dans les douches pendant qu'on servait le petit déjeuner et je me lavais les cheveux…

— Merci beaucoup. A votre avis, mesdames et messieurs du jury, ce comportement ne témoigne-t-il pas d'une coquetterie évidente et excessive ? La plaignante avoue s'être lavé les cheveux *tous les jours* – et ce, dès *avant* les événements. Je vous le demande : quelle raison une femme aurait-elle d'accorder une attention si démesurée à son apparence, si ce n'est pour attirer le regard des hommes et pour attiser les flammes de leur désir ?

Si l'on glisse les épingles à l'horizontale, parallèlement au cuir chevelu, en prenant bien soin de n'attraper qu'une seule mèche avec chaque épingle, et si l'on attend ensuite que les cheveux aient complètement séché, on aura de jolies boucles qui tiendront en place toute la journée, pour peu qu'il n'y ait pas de vent et qu'on ne mette pas de foulard sur la tête et que personne ne s'avise de vous les ébouriffer. Si, en revanche, on glisse les épingles à la verticale, perpendiculairement au cuir chevelu, elles traverseront lestement le crâne et iront stimuler différentes régions du cerveau. Il est bien connu que plaisir et douleur sont des notions assez vagues et qui ont tendance à se confondre. Au cours d'expériences scientifiques conduites en laboratoire, on a pu susciter artificiellement ces sensations apparemment contraires en stimulant des parties du cerveau éloignées l'une de l'autre de quelques millimètres à peine. Ainsi, si la plaignante prétend avoir ressenti de la douleur, il est tout à fait possible que cette impression ait été le résultat d'un déplacement *minime* par rapport à son expérience véritable, à savoir le plaisir. Puisqu'il est bien connu par ailleurs que les femmes, en ressentant la douleur, feignent souvent le plaisir, l'inverse doit être également vrai : en ressentant le plaisir, elles peuvent feindre la douleur. Cela me paraît même, en l'occurrence, hautement probable.

Personne n'a dit ça.

Au Château, certains hommes sans clef avaient, longue et blanche à la base du crâne, une cicatrice. Sourire béat, d'une oreille à l'autre. Ils étaient calmes. Ce n'était pas autour des pavillons proches de la sortie qu'on pouvait croiser ces hommes-là, mais bien plus loin, tout à fait au fond du jardin, là où les hautes murailles couvertes de barbelés se rejoignaient à angle droit. On racontait que l'un d'eux – mais c'était bien avant mon temps – était mort de tétanos. Grand et gracile, il avait réussi à grimper jusqu'en haut du mur, les bras remplis de roses, il avait passé la nuit à attacher les fleurs aux tiges piquantes, rouillées, empoisonnantes, et les épines de fer lui avaient lacéré les avant-bras au point qu'il n'a pu être sauvé. C'était l'une des légendes du Château. Une autre voulait qu'un homme sans clef – et sans cicatrice cette fois – ait trouvé le moyen d'engrosser une femme qui n'avait jamais eu de clef. Celle-ci ne s'en serait même pas aperçue : c'est l'infirmière qui aurait remarqué la pile inentamée de serviettes hygiéniques, et arrangé l'étouffement de l'affaire, c'est-à-dire de l'enfant potentiel, avec la mère potentielle pendant ce temps sous une anesthésie à peine plus générale que celle de son état habituel...

Et justement, en face de moi, une grosse vache à lait. Dans le métro il faut céder sa place aux femmes enceintes. Elle braque son utérus comme un fusil sur Omaya. Sûre de son droit de s'asseoir, de prendre toute la place, de laisser s'écarter les genoux, elle s'étale, superbe et laide, triomphante. D'étroites couleuvres bleues entrelacées grimpent le long de ses mollets. Ça grouille, ce sont des vermicelles vivants… Non ! Ça ne… Non, Omaya, c'est immobile, regarde plutôt le visage… Mais là, les taches brunes, les tavelures, les plaques de peste collées sur ses joues s'étendent de seconde en seconde, bientôt elle aura toute la face couverte de croûtes purulentes, ça commence dans le cou, dans l'aisselle et dans l'aine, et ensuite ça s'étend inexorablement, ça commence dans l'aine, tout vient de là, et puis ça se répand dans tout le corps, on n'y peut rien, un homme vous prend, il vous injecte son poison dans l'aine, et puis vous sentez enfler les bubons, les ganglions, et si la boulangère a distribué la mort c'était pour prendre sa revanche, pour que les autres éprouvent ce qu'elle avait six fois éprouvé, ce lent envahissement de la maladie, ce grouillement de serpents dans les jambes, ces démangeaisons constantes, incoercibles, ça commence dans l'aine et ça finit par vous tuer.

La vache à lait sort de son sac un livre, elle l'ouvre à la page dont le coin est retourné, elle le cale contre son utérus et elle se met à lire. Sur la couverture un grand homme brun entoure de ses bras une petite femme châtain, il est de profil et on voit la ligne dure de son menton, elle est de face et on voit la ligne douce de son sourire, je sais quels mots absorbe en ce moment la grosse vache, le coin retourné était près du début du livre, donc la femme châtaine dit : Arrête, et l'homme dit : Petite sotte, avoue que ça te plaît, et la femme dit : Arrête, mais l'homme lui scelle les lèvres avec ses lèvres à lui, les meurtrissures, la langue qui fouille, et sur les lèvres de la vache s'esquisse le même sourire insipide que sur les lèvres de l'héroïne, et ainsi de suite pendant cent pages, jusqu'au diamant qui nous fait comprendre enfin pourquoi, tout en disant arrête, l'héroïne sourit, c'est parce que le diamant c'est ce qu'il y a de plus dur au monde. La vache à lait ne porte pas de diamant ni même le moindre cercle d'or, sans doute ses doigts ont-ils enflé et ne veut-elle pas couper la circulation du sang, c'est pourtant ça le but du cercle d'or, couper la circulation, et si ce n'est pas autour de l'annulaire on peut l'accrocher dans le corps même de la femme, par exemple en pratiquant un trou à travers le lobe de l'oreille ou à travers le nez ou à travers le clitoris, ou encore on a la possibilité de souder autour du cou non pas un seul mais plusieurs dizaines d'anneaux d'or, un de plus chaque année, de sorte que quand la femme arrive en âge de se marier elle ait un magnifique cou de girafe, deux fois plus long que sa longueur normale, et tous ces cercles signifient que la circulation est coupée, que la femme est retirée de la circulation, et si elle continue de circuler après le mariage, on lui retirera tous les anneaux à la fois, et le cou, sans muscles et sans vertèbres, incapable de soutenir le poids de la tête, se rompra.

— Mais qu'est-ce qui, dans le cercle, vous terrorise à ce point ? Les bulles sous la glace, le trajet de votre père autour du lac, la bouche des prisonniers qui chantent, votre propre initiale brûlée dans la peau de votre enfant, et maintenant cette affreuse histoire d'anneaux… ?

— Ce n'est pas à moi d'interpréter.

— Mais on n'y comprend rien, à votre histoire. Une chatte n'y retrouverait pas ses petits. Quel est le sens de cette expression ? Allez, vite, vite ! Répondez !

— Une chatte n'y retrouverait pas ses petits, ça veut dire que quand une chatte veut mettre bas, elle se cache dans un endroit obscur, dans une cave, par exemple, oui, dans une boîte en carton tout au fond d'une cave, et on la cherche partout, et on l'appelle éperdument, enfin on l'entend miauler en réponse, on se dit qu'elle joue à se cacher, on se précipite sur la boîte, on la renverse, on la secoue, et la chatte en tombant sur le sol éclate en mille fragments. Omaya hurle. Ensuite les fragments de la chatte se mettent à ramper sur le ciment froid, ils se tortillent, ils hochent la tête, ce sont des chatons et la mère cherche désespérément à les rassembler, à les ramener sous son corps chaud, et à la fin la chatte a retrouvé tous ses petits… sauf une.

— Pourquoi sauf une ?

— Parce que la petite dernière, elle est morte. Omaya l'a tuée. Elle n'arrête pas de hurler. Je l'ai tuée, je l'ai tuée.

— Mais non, ma bêta, ce n'est pas toi qui l'as tuée.

— Si, c'est moi, je les ai jetés contre le sol, je ne savais pas, je ne savais même pas qu'elle attendait des petits, je pensais qu'elle se cachait exprès et j'ai renversé la boîte par terre !

— Mais regarde, ma bêta, regarde la petite chatte, ce n'est pas toi qui l'as tuée. Elle est toute gluante, encore couverte de liquide, tu vois bien.

— Qu'est-ce que ça veut dire ?

— Ça veut dire qu'elle est mort-née, puisque sa maman n'a même pas pris la peine de la lécher. Ce n'est pas toi qui l'as tuée, les autres se portent très bien, tu vois, ce n'est pas grave ce que tu as fait.

Alors une mère peut mettre au monde une enfant et ensuite ne même pas prendre la peine de la lécher. Alors une mère peut mettre au monde une enfant et s'en désintéresser : sans même chercher à la ranimer, elle peut l'abandonner, petite pile noire humide et immobile sur le sol glacial d'une cave…

— Mais quand je prends l'avion je ne t'abandonne pas, mon Omaya, je suis toujours à tes côtés, tu es toujours à mes côtés, c'est ça qui est si prodigieux dans le cerveau de l'homme, on peut emporter en pensée les êtres aimés, même si on ne peut pas les emporter en chair et en os.

— Je préfère être abandonnée, plutôt que d'être emportée en pensée par un avion et digérée ensuite par un ordinateur.

— Tu dis des bêtises.

— Vous dites des énormités. Du reste, qu'est-ce qui vous dit que le chaton mort-né était femelle ? En êtes-vous sûre ? D'où vous est venue cette certitude ? Dans l'épisode crépusculaire, c'était la même chose : comment pouviez-vous savoir qu'il s'agissait d'une *lapine* ? Eh bien ? Quelles sont vos preuves ? Et votre propre féminité, en avez-vous des preuves ? Avez-vous rempli votre devoir maternel ?

— Tu dis des bêtises, Omaya. Tu comprendras mieux quand tu auras tes propres enfants.

— Je ne comprendrai donc jamais.

Cybèle est arrivée à l'aéroport, c'est dans une banlieue proche de celle où se trouve le Tribunal, elle fera le trajet en limousine, elle arrivera avant moi et m'attendra dans le hall, l'air anxieux comme la dernière fois, elle me serrera fort trop fort dans les bras, à me rompre le cou.

— Mon Omaya. Oh mon bébé. Tu ne veux pas laisser tomber cette plainte ? Après tout le temps qui s'est écoulé… Tu veux continuer de vivre en enfer ? Regarde comme tu as les yeux cernés, ça me fait de la peine de te voir dans cet état. Mon chéri, je sais que tu as reçu une blessure grave, mais c'est toi maintenant qui persistes à en rouvrir la plaie. Sans ça, elle se serait peut-être cicatrisée toute seule… non ? Ecoute-moi, est-ce qu'il ne vaut pas mieux que tu essaies d'oublier ?

— Il faudrait d'abord qu'on reconnaisse qu'il y a quelque chose à oublier. Tu comprends ? Comment faire pour oublier rien ? Comment faire pour guérir une plaie qui a la forme d'un O ? Il faut que j'aille parler à Anastasia. Laisse-moi. Lâche-moi, Cybèle.

— Vous êtes prête ?
— Je ne me sens pas bien.
— Ça se voit. Il faut vous ressaisir. Tout va bien se passer. Essayez de ne pas vivre les choses à l'avance. Votre mère est là ?
— Oui… pourquoi ?
— On va peut-être vouloir l'interroger.
— Ma mère ?
— Oui. Question de nosologie.
— Quoi ?
— Question de déontologie. Antécédents moraux et *tutti quanti.*

— Vous êtes la génitrice de la plaignante, c'est vous qui l'avez mise au monde ?

— Mise au monde, oui, au milieu de la douleur, Omaya surgie de la plaie.

— Contentez-vous de répondre aux questions qu'on vous pose, sans faire de littérature. Pouvez-vous décrire à la Cour, en termes succincts, la genèse de sa maladie ?

— Tout a commencé quand Omaya, encore petite fille, est devenue victime de crises d'asthme. Ces crises se déclenchaient surtout quand elle était à proximité des chats, alors que les chats avaient été, jusque-là, ses animaux préférés.

— Ce fut donc, déjà à cette époque, une perturbation d'ordre psychosomatique, autrement dit somapsychotique ?

— Si vous voulez.

— Ces crises ont persisté jusqu'à quel âge ?

— Elles n'ont jamais vraiment cessé. Jusqu'à la puberté, elles ne présentaient aucun caractère de gravité. Il suffisait d'éloigner les chats et Omaya retrouvait son souffle. Pendant l'adolescence, les attaques sont devenues plus violentes et plus imprévisibles, sans rapport direct avec les chats ni avec aucune autre source visible d'irritation des bronches et des voies respiratoires ; il a donc fallu entreprendre un traitement médicamenteux.

— Cette entreprise fut-elle couronnée de succès ?

— Oui et non. Les médicaments, tout en étant efficaces pour stopper la maladie, avaient un effet secondaire que ma fille trouvait insupportable : ils la faisaient grossir. Elle a donc préféré interrompre le traitement et assumer pleinement son état asthmatique. Elle dormait souvent assise dans un fauteuil afin de faciliter la respiration.

— Pouvez-vous nous décrire le comportement de la plaignante pendant l'une de ces attaques ?

— Il n'y a rien à décrire. Elle ahanait. On aurait dit qu'elle avait un accordéon à la place des poumons. De sa gorge émanaient des notes de musique grinçantes et soupirantes, des accords impossibles.

— Et ces attaques avaient lieu surtout lorsque la plaignante était surexcitée ?

— Oui.

— Ainsi, quand elle déclare avoir entendu des ahanements, lors des faits dont il nous appartient d'établir le déroulement, il n'est pas impossible que ce bruit ait eu comme lieu de provenance son propre corps ?

— …

— Remarquez bien, madame : je ne dis pas que tel était le cas, je demande simplement si une telle hypothèse relève ou non de l'ordre du possible. Rappelez-vous que vous êtes sous serment.

— Je ne puis répondre à cette question. Au moment des faits, je n'avais pas vu ma fille depuis plusieurs mois. Je ne sais rien de son état d'esprit et de corps à cette époque.

— Vous savez pourtant qu'elle venait de faire une déclaration de perte de clefs, et qu'elle s'était enfermée volontairement au Château. Ces actes ne suggèrent-ils pas, à tout le moins, une prédisposition à l'état de surexcitation apte à déclencher chez elle des ahanements ?… Je comprends bien, madame, que votre sentiment maternel vous incite à vouloir protéger la plaignante, mais pouvez-vous pour autant nier cette évidence ?

Alors on s'est mis à courir dans la forêt, le Hibou et moi, oublieux des sentiers comme des bruits de l'autoroute, on courait au hasard, dans tous les sens, zigzaguant et dingues. Le Hibou courait bien plus vite que moi, c'était tout naturel, moi je me prenais les pieds dans les racines, je tombais en avant sur les pierres coupantes, je fourrageais dans la broussaille, alors que lui, tout au plus se faisait-il griffer le front par des branches pointues… Et puis, je me relève d'une chute : il n'est plus là. Silence… En deçà du silence, le cœur d'Omaya qui tambourine. Derrière elle, à gauche, à droite, la respiration des bêtes de la forêt. Souffles rauques, avides, sauvages. Omaya se précipite, elle tombe de nouveau, se relève, les souffles la poursuivent en crescendo… et soudain, elle se retrouve au bord de l'autoroute. Klaxon. Elle se retourne, les yeux exorbités.

— Mais c'est une jeune fille ! Au nom du ciel, que faites-vous au milieu de la forêt au milieu de la nuit ?

— Je cherche mon père, on se promenait, je suis tombée, je suis perdue.

— Montez, montez, on va le chercher ensemble, votre papa. Il fait froid.

— Non merci, vous êtes gentil, je vais l'attendre ici, il va venir.

— Mais vous ne pouvez pas rester toute seule au bord de l'autoroute, c'est dangereux ! Heureusement que je vous ai vue, la forêt est pleine de plaisantins à cette heure-ci. Allez, montez, je vous assure que vous courez plus de risques dehors que dedans.

Courir. Omaya replonge dans la forêt, la voiture redémarre en trombe. Peu à peu, le cœur se calme. Les arbres respirent plus tranquillement. Le vent traverse leurs bronches sans faire de bruit. Enfin, au bout d'un long moment, Omaya se souvient du chant du Hibou. Elle appelle, tout doucement : Hou ! hou ! Et à sa droite, à quelques pas seulement, le Hibou lui répond : Hou ! hou !

— C'est parfaitement grotesque. On ne peut pas admettre des hou ! hou ! comme des pièces à conviction.

— Ce n'est pas comme telles que je vous les transmettais, madame le président.

— Mais enfin, Maître, vous commencez à raconter n'importe quoi. Je m'insurge contre ce recours constant aux métaphores et aux onomatopées. Il nous faut des *faits*.

— Bien sûr, madame le président.

— Or les faits, tels que nous avons pu les reconstituer jusqu'ici, sont en contradiction flagrante avec ces balivernes bucoliques. Il a notamment été établi que la plaignante est une femme de la ville, pour ne pas dire une femme de la rue. Elle n'a jamais mis les pieds à la campagne et ne connaît vraisemblablement rien à la nature. Que signifient, dès lors, ces images récurrentes de la forêt et du lac ? *Où* allait-elle se promener la nuit avec son père ? Et que viennent faire dans cette histoire les étoiles, les branches et les racines, sans parler de l'inénarrable épine dans le talon ? Il faut que cela cesse ; que nous sachions exactement à quoi nous en tenir. Autour de *quoi* tourne-t-il, le père de la plaignante ? Quelle est la propriété privée qu'il a osé enfreindre ? Et à quoi correspond cette extinction des yeux dont vous nous rebattez les oreilles depuis le début ?

— Comme il s'agit de souvenirs très doulou-reux, qui n'ont aucun lien direct avec l'incident du mois de décembre, j'ai jugé utile de respecter la sensibilité de ma cliente en les présentant sous une forme quelque peu… estompée.

— Ce n'est pas à vous, Maître, mais à moi de juger ; à moi seule de déterminer la pertinence ou l'impertinence de chaque élément du dossier. Si vous persistez à nous abreuver de fictions, cela ne pourra que nuire à votre cliente, je vous en préviens.

Pauvre Anastasia.

— Madame le procureur, serait-il possible d'inter-roger ce fameux père ?

— Cela est malheureusement exclu. Lui aussi a perdu les clefs et se trouve depuis plusieurs années dans l'incapacité de se conduire.

— Antécédents génétiques, donc.

— Je ne vous le fais pas dire. Quel patrimoine.

— Et n'y aurait-il pas un autre homme de son entourage, quelqu'un qui aurait pris pour ainsi dire la place du père ?

— Il y a le nommé Saroyan.

— Appelez à la barre le nommé Saroyan.

— Jurez-vous de dire toute la vérité et rien que la vérité ? Levez la main droite, dites : Je le jure.

— Je ne prétends pas connaître toute la vérité.

— Votre témoignage pourra-t-il être incriminant pour la plaignante ?

— Oui.

— Cela est suffisant. Vos nom, prénom, âge et profession ?

— Saroyan. Un point, c'est tout.

— Votre rapport de parenté avec la plaignante ?

— Substitut du père.

— Votre rôle dans la parthénogenèse de sa maladie ?

— Je lui achetais des fleurs.

— Des fleurs ?

— Oui. C'est le nom qu'elle donnait à ses médicaments.

— Ah… Et sa prédilection portait sur quel genre de… fleurs ?

— Secret professionnel. Je peux toutefois vous affirmer qu'au moment où nous préparions le spectacle sur la Peste, la plaignante avait absorbé une quantité faramineuse de cachets antiasthmatiques. Son corps avait enflé au point d'être devenu méconnaissable.

— Ce n'est pas vous qui lui aviez procuré les cachets en question ?

— Non. La plaignante avait une ordonnance qu'elle faisait régulièrement renouveler par son médecin traitant, sans consommer le médicament au fur et à mesure. Elle en avait accumulé un stock impressionnant.

— Vous l'aviez vu, ce stock ?

— De mes yeux vu. Pour la plaignante, cette drogue particulière ne faisait pas partie des fleurs. C'était du pain. Son médecin traitant était un dieu, et c'est à lui qu'elle adressait la prière : Donnez-nous aujourd'hui notre pain quotidien.

Alix disait : Relève-toi, défends-toi, tu as des jambes pour courir et pour donner des coups de pied, non pour te mettre à genoux. Cesse d'implorer leur aide, leur permission, leur pardon, chaque fois que tu souhaites entreprendre quelque chose.

Alix, elle, quand elle se mettait à genoux, c'était encore pour prouver son autonomie. Changer toute seule le pneu de la voiture. Omaya debout au bord de l'autoroute, la regardant. Mains vides, tête vide. La nuit qui tombe, la pluie qui tombe. Comment sait-elle tout ça, pourquoi le Hibou ne m'a-t-il pas montré les boulons, la cale, la force du bras décuplée par les outils ? Alix manipule en arabesques le cric. Bruits métalliques… et au-delà, intermittents, des sifflements de roues sur le pavé mouillé. Omaya se tient devant l'auto, dans le faisceau des phares. J'ai froid, j'ai tellement froid…

— Tu ne pourrais pas me donner un coup de main ?

— J'ai les mains gelées. J'essaie de les réchauffer à la lumière des phares.

— Elle est froide, cette lumière, Omaya. Tu te réchaufferais bien mieux si tu te remuais un peu. Viens m'aider.

Une voiture a freiné. Elle nous avait dépassées, les freins ont miaulé, elle est revenue vers nous en marche arrière, c'est une voiture de police. Deux hommes en uniforme descendent et viennent vers Omaya.

— Des ennuis ?

— Une crevaison. Justement, on avait besoin d'un coup de main.

Alix dit : Qu'est-ce que c'est ? Elle lève la tête. Dans l'éclairage blafard, je vois ses joues virer du rouge au blanc.

— Qu'est-ce que vous voulez ?

— C'est une crevaison, c'est ça ? Vous avez un pneu de rechange ?

— Nous avons tout ce qu'il nous faut. Nous n'avons pas besoin de vous en plus.

— Votre amie, là, elle prétend que si.

— Eh bien, si elle a besoin de vous, allez la voir pour en parler.

— Attention ! On ne s'adresse pas n'importe comment à un officier de paix. Elle est à vous, cette voiture ?

— Oui, elle est à moi. Et celle-là, elle est à vous ?

— Montrez-moi les papiers de la voiture, ainsi que votre permis de conduire.

— Montrez-moi vos fesses.

Elle n'a pas dit ça. Mais elle aurait pu le dire. Elle frémissait de rage. Et après :

— C'est à cause de toi. C'est parce que tu te pavanais devant les phares qu'ils se sont arrêtés. Tu ne peux pas quitter cinq minutes les feux de la rampe ? Il faut qu'à chaque instant de ta vie tu sois sous le spot ? Comme une fille de joie sous son lampadaire ?

La fille de joie, la femme perdue. Comment fait-on pour stopper les autos ? Se tenir au bord de l'autoroute, attendre qu'on vous embarque... En une seconde, on vous a jaugée, on a pris une décision : Ça marche, montez... ou on a décidé que non. Vous attendez, les voitures vous dépassent, les yeux se posent sur vous et s'en détournent : on n'en veut pas. Vous n'avez plus le droit de monter. Vos appas se sont dégradés, vous n'êtes plus une toute jeune fille. A la rigueur, on vous embarquera

par pitié, on vous dira avec condescendance :
Montez. On s'étonnera de ce que, à votre âge,
vous ne possédiez pas encore vos propres moyens
de transport. On vous jaugera avec méfiance, se
demandant si vous êtes encore transportable.

Il ne faut surtout pas accréditer l'idée reçue
selon laquelle cela n'arrive qu'aux femmes jeunes
et jolies. Ne vous croyez pas à l'abri sous prétexte
que vous n'avez plus vingt ans. Entre six mois et
quatre-vingt-dix ans, vous êtes une cible potentielle. Il peut toutefois être utile, si vous devez
absolument vous trouver seule dans la rue, d'imi-
ter la démarche – non pas d'une très vieille dame,
car vieillesse est synonyme de vulnérabilité –
mais d'une matrone. Voilà : marchez comme une
mère de famille, d'un pas lourd et fatigué mais
cependant assez pressé. Pas trop pressé quand
même : si vous vous mettez à courir, on saura à
coup sûr que vous n'êtes pas inviolable.

Pendant la tournée de la Peste, Saroyan me pas-
sait parfois le volant. Comme si ça allait de soi.
Comme s'il ne s'était pas aperçu que plus rien
n'allait de soi. Je me collais au train d'un gros
camion.
— Vas-y, double-le, qu'est-ce que tu attends ?
Nous sommes sur une route à deux voies et ce
n'est jamais le bon moment pour le doubler. Dans

les montées on avance à peine, on est asphyxié par les effluves noirs, dans les descentes le camion accélère, et même à plat comment être sûre, si je me mets à gauche, comment savoir avec certitude qu'un autre camion ne surgira pas subrepticement en face, je ne l'aurais pas vu à cause d'un léger virage dans la route, à cause d'une côte insoupçonnée, il serait là soudain en face de moi, je ne pourrais pas lâcher le volant et me couvrir les yeux, je ne suis plus assise entre les genoux du Hibou…

Saroyan s'énerve. Il dit qu'ils sont en train de prendre du retard, que les autres comédiens vont arriver plusieurs heures avant eux, alors Omaya met le clignotant, elle passe dans la voie de gauche, elle appuie de toutes ses forces sur l'accélérateur, elle longe le camion mais ne parvient pas à le dépasser, tout d'un coup elle voit des phares en face, une voiture qui approche à une vitesse invraisemblable, elle freine brutalement et Saroyan s'écrie : Qu'est-ce que tu fous ? Une autre voiture a déjà pris sa place derrière le camion, elle met le clignotant à droite, elle freine de nouveau, l'autre voiture ralentit et la laisse revenir dans la voie de droite, à l'instant même où la voiture d'en face les croise avec des coups de klaxon indignés. Saroyan a la main crispée sur la poignée de la porte. Il ne dit rien. La voiture derrière eux les double en klaxonnant à son tour. Omaya ne dit rien, elle non plus, de peur que de sa bouche ne tombe une goutte écarlate : elle s'est ouvert la lèvre supérieure avec les dents.

— Pourtant vous nous aviez affirmé que Saroyan n'avait pas de voiture.

Mettons alors que je conduis la voiture de Cybèle, je suis derrière un camion, celui-ci met son clignotant à gauche et ne bouge pas, ce que j'interprète comme une incitation à le doubler, alors je mets mon propre clignotant, je passe dans la voie de gauche en appuyant sur l'accélérateur, et juste à ce moment-là le camion tourne à gauche, je lui rentre en plein dedans, je tue le chauffeur et je suis estropiée à vie.

Ou bien : la voiture derrière moi me fait des appels de phares, elle me taquine, me grimpe dessus, j'accélère sans remarquer que de la bretelle à droite de l'autoroute arrive une autre voiture chargée de bagages et d'enfants, nous nous percutons… Carambolage ! Bilan : trois morts et six blessés.

Ou encore : je suis sur une route à trois voies, et à l'instant même où je passe dans la voie du milieu pour doubler un camion, une voiture venant dans l'autre sens fait la même chose. Collision frontale, bilan : deux morts, moi et l'autre conducteur.

— Mais en fait, vous n'avez jamais eu d'accident, n'est-ce pas ?

— En fait… c'est-à-dire ?

— En fait, dans la réalité, rien de tout cela n'est arrivé. Vous êtes là, vous êtes en vie, vous n'avez jamais eu affaire aux assurances, n'est-ce pas ? Vous n'avez causé la mort de personne. Ni de Saroyan, ni des enfants, ni de vous-même.

En fait je suis là, je suis en vie. Rien de tout cela n'est arrivé. En fait, ce soir-là, je ne suis même pas sortie du Château. J'ai passé la nuit à rêvasser et le matin je suis allée raconter mes rêves à la police et aux médecins et aux avocates et à Mme le président. Il n'y a pas eu crime, ni même délit : la preuve, c'est que je n'en suis pas morte.

— Vous ne voulez pas vous contenter de coups et blessures ?

— Non.

— Vous êtes certaine de désirer la révision du procès ?

— Oui.

— Vous vous en sentez la force ?

— En ce moment, non… Mais là n'est pas la question.

— Je comprends tout ce que ça peut signifier pour vous, Omaya, et évidemment je continuerai de vous soutenir. Mais nous avons échoué une première fois, je ne puis vous promettre que le résultat sera différent la deuxième. J'avoue que je ne suis pas très optimiste.

— Anastasia, si nous en restons là, je ne pourrai jamais redevenir forte.

— Alors on fait appel ?
— Oui.

On fait appel. On vous supplie de nous entendre. On se met à genoux.

— Retourne-la un peu pour voir ? C'est pas mal. Essaie de la mettre à genoux.
— Elle a pas l'air de vouloir… Merde !
— Si tu te mets à donner des coups de pied, tu vas en recevoir en pleine bidoche, ma poulette, et ce sera pas des pieds nus non plus. Mets-toi à genoux.
— Mais qu'est-ce qu'elle peut être têtue, merde !
— Ne la gifle pas au visage, ça se voit trop.
— A la poitrine.
— A la poitrine, voilà. Avec le plat de la main…
— Décidément, elle veut pas se mettre à genoux. Quelle loque ! Je parie qu'elle va se remettre à dégueuler.

Ils ont dit ça. Je vous supplie de me croire. Même si je me suis mal souvenue de leurs visages, même si j'ai parfois fait des cauchemars ou récité des scénarios de mon propre cru, je sais faire la différence entre le réel et le reste, ça c'est le réel, je vous le jure, leurs mots, leurs gestes, je ne pourrais jamais me tromper, ils ne me quitteront jamais, c'est l'aiguille qui revient encore et encore dans le même sillon du disque, dans la même veine de l'avant-bras, c'est l'épingle qui s'enfonce dans le cerveau toujours au même endroit, ce sont les mêmes mots qui reviennent et je ne peux pas leur échapper…

— Elle est encore loin d'être claire, votre histoire.

— CLARTÉ EST SYNONYME DE BEAUTÉ !

— Calmez-vous. Essayez de vous souvenir. Laissez-vous aller.

— … Voilà… Je devais aller à la gare. Ça, je m'en souviens. Mon train allait partir à dix heures précises.

— Dix heures du matin ou dix heures du soir ?

— Dix heures du matin.

— Comme votre rendez-vous ici ?

— …

— Poursuivez.

— Seulement, pour aller à la gare, il fallait que je prenne le métro… J'ai acheté un journal avant de descendre sous la terre, et une fois en route je me suis laissé absorber par la lecture d'un article…

— Sur quoi portait l'article en question ?

— Je ne sais plus… C'était un fait divers.

— Mais encore ?

— Je ne sais pas.

— Quand vous dites fait divers, entendez-vous le mot d'hiver, l'hiver ? Un fait d'hiver ?

—

— Bien. Et après ? Vous étiez tellement absorbée par la lecture de cet article que…

— Que j'ai dépassé de loin la station où je devais descendre. Et quand je suis sortie du métro, je ne savais plus du tout où j'étais, c'était un quartier effrayant dont je n'avais jamais soupçonné l'existence…

— Pourquoi êtes-vous remontée à la surface, plutôt que de reprendre le métro en sens inverse ?

— Un… un instant de distraction…

— Et ce quartier, à quoi ressemblait-il ?

— C'était un paysage de verre et de métal, les bâtiments avaient des formes à la fois géométriques et végétales, d'une hideur à vous glacer le sang… Partout des magasins, avec des vitrines clinquantes, éblouissantes, et dans les vitrines… Alix m'accompagnait, je ne sais pas comment nous nous sommes rencontrées, mais nous marchions à ce moment-là ensemble…

— Oui ? Et dans les vitrines ?

— … Des centaines de mannequins nus. Debout, assis, couchés, agenouillés, des corps de femmes figés dans toutes les positions, des poupées désarticulées… Mais je pressais le pas, je percevais au loin l'horloge de la gare, dix heures moins dix et je n'avais pas encore acheté mon billet…

— En effet, oui… Et alors ?

— ... Et alors, soudain, Alix s'est mise à me tirer le bras en me disant : Regarde ! Regarde !... Dans l'une des vitrines, figée et nue au milieu des mannequins : une femme vivante. Ses yeux nous imploraient. Alix voulait qu'on entre tout de suite dans le magasin, qu'on fasse une scène, qu'on libère la captive, mais moi, je n'avais pas le temps, il était vital que je prenne ce train, c'était la seule chose au monde qui comptait...

— Pourtant cette femme souffrait d'un mal qui vous était familier, si j'ose dire, depuis le jour de votre naissance. N'est-ce pas ?

— Je ne comprends pas.

— La boîte de verre ?... Evidemment, vous aviez un train à prendre.

— Oui... J'ai secoué mon bras pour qu'Alix me relâche, j'ai vu ses yeux à elle, choqués, haineux, les yeux désespérés de la prisonnière... Ensuite, je suis sur le quai de la gare... et je vois le train s'éloigner. C'est trop tard. J'ai tout raté. Il ne me reste rien.

— Je vous prie de ne pas allumer cette cigarette. Vous connaissez la règle : pas de béquille à l'intérieur de ce cabinet. Les cigarettes sont des béquilles, elles vous aident à marcher.

Ce n'est pas ça, c'est pour mettre un rideau de fumée entre Omaya et l'ennemi, au café ça n'a pas marché, j'ai allumé une cigarette et ils m'ont vue quand même, alors que moi je n'ai pas pu les

194

regarder, je n'ai pas su dire à quoi ils ressemblaient. Au Tribunal aussi c'est interdit de fumer, on ne m'autorise aucune protection sous aucune forme, on se contente de me dire que je n'ai rien à craindre dans l'enceinte de la Justice…

— Cette fois-ci, quand les accusés sont amenés au box, il ne faut pas que vous vous cachiez la figure dans les mains.

— Je ne peux pas les voir, je vous l'ai déjà dit, je ne le peux pas.

— Omaya, la Justice exige qu'on regarde les choses en face. Elle-même, la Justice, est aveugle, elle a un bandeau sur les yeux, mais de nous elle réclame à tout instant lucidité et franchise.

— C'est faux, la Justice est exactement comme moi, toutes deux nous nous voilons les yeux pour ne pas voir, c'est bien ce qui s'est passé la dernière fois, elle a refusé d'enlever son bandeau, elle n'a rien vu du tout, et elle a déclaré : Coups et blessures.

— C'est très dangereux, ce que vous dites là.

— C'est très dangereux de fumer, tu le sais bien. Surtout pour quelqu'un comme toi, qui a eu des ennuis graves avec les voies respiratoires, fumer c'est jouer avec le feu, tu es en train de polluer ton corps, le havre de ton esprit, écoute-moi Omaya, on ne dispose que d'un seul corps pour toute la vie, les dommages qu'on lui inflige sont permanents, chaque bouffée que tu aspires t'empoisonne un petit peu plus, chaque paquet raccourcit ta vie de plusieurs heures.

— Le monde est rempli de poisons, Cybèle, tout est infecté, absolument tout, les cigarettes me servent de vaccin, j'absorbe sciemment leur venin à petites doses, je développe une immunité, tel est bien le principe de l'inoculation ?

— Mais ce n'est pas du tout ce qu'il faut souhaiter ! Développer une immunité, devenir imperméable, indifférente aux tragédies du monde ! Le propre de l'homme, c'est justement sa capacité d'agir sur ces problèmes, d'y être sensible au contraire, de mettre son intelligence au service de cette sensibilité. L'engourdissement *des* sens entraîne l'atrophie *du* sens… Pourquoi me regardes-tu comme ça ? Tu me fais peur.

— Je suis une femme, Cybèle. Tu n'es plus tenue de me maintenir en vie. Il va falloir que tu renonces à tes devoirs maternels.

— Mais je t'aime, ma bêta, ce n'est pas une question de devoirs, je ne peux pas ne pas souffrir quand je te vois en train de te tuer à petit feu.

— Il n'y a pas de fumée sans feu. Donnez-nous le sens précis de cette expression. Votre réponse sera chronométrée comme à l'ordinaire.

— Je n'en peux plus.

— Allez-y, allez-y, le chronomètre est déjà enclenché.

— Non ! Je sais que c'est moi qui donne ces ordres, donc je peux y déroger aussi…

— Pas question, vous n'y dérogerez pas, j'ai une responsabilité pédagogique à votre égard. Depuis votre échec à l'université, vous avez choisi d'être autodidacte, eh bien c'est moi votre auto…

— Oh ! non.

— Parfaitement, c'est moi votre auto, et en tant que telle j'ai le droit de vous didacter, le temps s'écoule, votre note sera mauvaise, allez, allez, que signifie…

— Mais c'est moi qui pense tout ça, et c'est moi qui pense mais c'est moi qui pense tout ça, et c'est moi qui pense c'est moi qui pense mais c'est moi qui pense tout ça, et c'est…

— Vous filez tout droit vers l'abîme. Hors de moi, point de salut. Il n'y a pas de fumée sans feu : voilà, accrochez-vous à cela, vous voyez, je vous ai sauvée de l'abîme, maintenant il faut répondre.

— … Il n'y a pas de fumée sans feu, ça veut dire que lorsqu'on allume une cigarette, on croit pouvoir se protéger derrière le rideau de fumée, alors qu'en fait ce n'est pas de protection mais de destruction qu'il s'agit, le feu intérieur est en train de consumer lentement les bronches des arbres, c'est un incendie intime, les alvéoles sont déjà carbonisés, on ne peut plus respirer, tout le monde sait que dans un incendie on meurt non pas des brûlures mais de l'asphyxie, on danse à en perdre haleine et à la fin on est parti en fumée, il ne reste plus pour vous identifier qu'un chausson calciné.

— Vos réponses sont de moins en moins appro-
priées. Tâchez de vous ressaisir. Problème de cal-
cul : combien de cigarettes avez-vous fumées dans
votre vie ? Mettons que depuis vingt ans, vous
fumez chaque année une cigarette de plus par jour
que l'année précédente : cela fait combien ?

— Je n'en ai aucune idée.

— C'est pourtant simple. Vous avez commencé à fumer il y a vingt ans, à raison d'une
cigarette par jour. La première année vous avez
donc fumé 365 cigarettes ; appelons ce chiffre n.
Ensuite, l'an 2 sera $n + 365$, ou 2 (365), l'an 3 sera
3 (365) et ainsi de suite, de sorte que pour obtenir
la réponse il suffira d'ajouter 20 (365) + 19 (365)
+ 18 (365)… + n. Alors ?

— Ça fait beaucoup.

— Je ne vous ai pas demandé de me faire part
de votre appréciation intuitive, mais de me fournir
une réponse chiffrée, exacte, étayée par des preuves
mathématiques.

— Ils ont besoin de preuves, Omaya. Depuis
qu'ils ont appris cette histoire de drogue dont vous
vous êtes servie pour votre personnage de boulangère, ils se méfient. Ils vous croient capable de
tout, y compris d'avoir inventé toute cette histoire
pour justifier votre manque de clef.

— Pourquoi êtes-vous sortie du Château ?

— Pardon ? Pardonnez-moi, pardonnez-moi, on ne s'entend pas, les chansons des Amies empêchent que nous nous entendions.

— Pourquoi êtes-vous entrée au Château ? Que s'était-il passé ce jour-là ?

Les Amies chantent. Les mains des policiers caressent avec frénésie les matraques.

— Je dois protester une fois de plus, madame le président. Il me semble que la Cour s'est déjà suffisamment penchée sur le passé de ma cliente.

Le marteau tombe. Les matraques se dressent.

— Je préviens la salle que s'il y a encore la moindre perturbation à partir de cet instant, la suite du procès se déroulera à huis clos. Maintenant, répondez à la question du procureur.

— La question de qui ?

— Du procureur.

— Mais c'est une femme…

— On ne dit pas : la procureuse, pour des raisons évidentes. Cessez de tergiverser, cette comédie a déjà assez duré.

— … Ce jour-là, j'ai quitté l'Appartement en pensant que j'irais au Théâtre, l'Appartement n'était plus jamais un Théâtre, tous mes vêtements étaient en train de pourrir dans l'armoire, ainsi que la nourriture au Frigidaire…

— Veuillez vous exprimer de manière plus claire, et ne rapporter que les faits pertinents. Je vous signale que, selon les aveux de votre propre avocate, vous n'habitiez plus chez vous à cette époque, et votre compagnie théâtrale s'était dissoute.

Tâchez de vous conformer à la version des faits telle qu'elle a déjà été consignée par le greffier.

— Excusez-moi… En sortant de l'Appartement, j'ai eu un instant de distraction… J'ai claqué la porte…

— Mettons. Et ensuite ?

— Je me suis aperçu que mes clefs étaient restées à l'intérieur. J'ai tambouriné sur la porte, mais personne n'est venu m'ouvrir. Alors je suis allée au Château pour faire une déclaration de perte de clefs.

— Elles n'étaient pourtant pas perdues, vos clefs. Vous saviez parfaitement où elles se trouvaient.

— Oui, mais elles m'étaient inaccessibles. C'était comme si elles n'existaient pas.

— Je laisse les membres du jury tirer leurs propres conclusions de la confession que vient de faire la plaignante. Lorsque les choses existent, elle est capable de faire comme si elles n'existaient pas ; il s'ensuit logiquement que lorsque les choses n'existent pas, elle est capable de faire comme si elles existaient. Je n'ai pas d'autres questions à lui poser, madame le président.

— OMAYA !

— … Oui ?

— Je vous ai posé une question.

— Excusez-moi, je ne l'ai pas entendue, j'ai dû m'assoupir un court instant, pourriez-vous la répéter ? Je vous en prie, répétez-la, je ferai de mon mieux pour trouver la réponse.

— C'était la question la plus importante de toutes, Omaya. C'était la question qui précisément ne se laisse pas répéter. Si vous ne l'avez pas entendue la première fois, on ne pourra plus rien pour vous. Il n'est plus possible de vous sauver, c'est terminé, on regrette, on a fait ce qu'on a pu, vous n'aurez que ce que vous méritez : un zéro. C'est le verdict définitif. Vous en êtes la seule responsable. Les preuves sont accablantes ; cette fois c'est sans appel.

— Sans appel ? Je ne pourrai plus faire appel ?

— Il n'en est pas question. On vous a donné votre chance, on a tenté de vous faciliter les choses, on a pris toutes les précautions nécessaires, on vous a ménagée, soignée, dorlotée, jamais vous n'avez montré le moindre signe de reconnaissance, vous n'avez fait que vous plaindre à nouveau, alors voilà, la décision est rendue : c'est zéro, c'est bien fait pour vous. Un point c'est tout.

— Mais ce n'est pas possible que ça s'arrête là, c'est impensable, le zéro ça ne se laisse pas penser, c'est l'absence même de toute pensée, on ne peut pas s'en tenir là, il me reste encore des années à vivre, comment voulez-vous que je vive avec ce zéro dans le corps, avec ce trou dans la mémoire, comment voulez-vous que je marche dans la rue, que je regarde les gens dans les yeux… ? Vous essayez de m'anéantir une deuxième fois, mais je ne m'avouerai pas vaincue, le zéro c'est vous qui le dites, ce sont eux qui le disent, vous êtes complices, vous avez pris cette décision ensemble au préalable, c'est une moquerie de la Justice, j'arracherai le bandeau des yeux de la Justice et elle verra enfin clair, elle éclatera de rire, elle descendra de son socle, elle me tendra les bras, elle m'étreindra, elle se joindra au cercle des Amies, si belles, si belles, les mères retrouveront leurs filles, nous danserons ensemble, toute la Cour se mettra à tournoyer, je vous le jure…

— Vous n'avez plus rien à jurer. Vous êtes exclue du Tribunal. Une voiture de police vous attend dehors pour vous ramener au Château.

— Non !

— Dans une camisole de force, si besoin est. Je déclare la levée de la séance.

— Mais on n'a même pas entendu les accusés !

— La voiture vous attend. Taisez-vous. L'incident est clos. J'ordonne l'évacuation de la salle.

Le marteau frappe. C'est le début de la pièce. C'est la fin du monde.

— NON !

— Personne ne peut entendre vos cris. La salle est déserte. C'est trop tard.

— Mais on n'a même pas entendu les accusés !

Bien sûr : c'est Omaya qui ne les entend pas. Comment aurais-je pu les entendre quand ils me foulaient sous les pieds ? Mais vous, vous n'avez jamais entendu qu'eux. Depuis leurs véhicules littéraires, lyriques et cathartiques, ils vous dépeignaient le beau paysage… en voiture, à toute allure… et peu vous importait qui se faisait broyer sous les roues. Chacun au volant, tour à tour… à tour de rôle… on se passe le volant… on se vole le passé… NON ! Ce n'est pas encore fini, ça ne peut pas se terminer comme ça, rien n'est décidé encore, c'est à vous de prendre la décision… de prendre le volant… à vous le tour… le tour joué… le jeu tourné… le je roulé… le rôle joué… NON ! Ce n'est pas ça que je veux dire, ce sont les mots qui parlent comme ça, les mots sont complètement malades, ils sont infectés par la peste, ce sont des ganglions qui enflent dans mon cerveau, des pustules qui éclatent sous la pression, pourtant la rose était si belle, si belle, une cible au cœur violet… NON ! La cible, la décharge… dans le mille… la décharge électrique… Ils vous appliquent les électrodes aux tempes et ils déchargent, et l'électricité vous imprime ses spasmes, ses orgasmes, vous ravage le corps et l'âme, vous laisse comme morte… Ils vous appliquent les mains aux hanches et ils déchargent… coup de foudre… et l'électricité vous fouette les entrailles, vous étrille le cœur, vous laisse comme morte… Une femme actrice se glisse, debout et habillée, dans sa baignoire remplie d'eau froide, elle dévisse l'ampoule du plafonnier, se mouille les doigts et les enfonce dans la douille… Conflagration ! Electrocution ! Suicide réussi… Mais non, une telle mort ne s'est encore jamais produite…

D'autant plus de raison pour faire en sorte qu'elle se produise… pour condamner Omaya à la chaise électrique… en finir une bonne fois pour toutes… Ils lui attachent les poignets et les chevilles avec des courroies reliées au courant de la ville, ils lui fixent sur la tête un casque à électrodes et ils déchargent… ARRÊTE ! Dans le mille… dans le millésime… mirabelle des fruits minimes… éraflure… floraison… cramoison des sombres crimes… moisissure… crevaison… criminelle des nuits intimes… éclaboussure… pâmoison… championne des peurs d'escrime… déraillure… oraison… chants funèbres mais sublimes… fantasmûre… incantation… résonance des mots sans rime… sans raison… Bientôt, ce ne seront même plus des mots, plus que des syllabes en bouillie, il faudra mettre le couvercle sinon la soupe des alphabets débordera… Discutons à mots couverts… à cou ouvert… COU OUVERT SERA LOI… Je vous ai ouvert mon cœur… opération à cœur ouvert… CŒUR VIOLÉ OSA TUER… Je n'oserais pas… je ne demande pas ça… je ne demande que justice… la Justice aux yeux couverts… coups et blessures… NON ! Ne me dites pas ça ! ROSE AU CŒUR VIOLET… rose coupée… couperosée… rossée de coups… NON ! Ne me dites pas ça, ne me dites pas ça, c'est faux, j'ai été descendue à bout portant…

— Tout le monde descend.

BABEL

Extrait du catalogue

COÉDITION ACTES SUD – LEMÉAC

Ouvrage réalisé
par les Ateliers graphiques Actes Sud.
Achevé d'imprimer
en juillet 1998
par Bussière Camedan Imprimeries
à Saint-Amand-Montrond (Cher)
sur papier des
Papeteries de Jeand'heurs
pour le compte
d'ACTES SUD
Le Méjan
Place Nina-Berberova
13200 Arles.

N° d'éditeur : 3057
Dépôt légal
1re édition : août 1998
N° impr. : 983672/1